Treasures of Mexico
Tesoros de México

Tesoros de
México

de los Museos Nacionales Mexicanos

Exposición Presentada por The Armand Hammer Foundation

Editado por Olga Hammer y Jeanne D'Andrea

Treasures of
Mexico

from the Mexican National Museums

An Exhibition Presented by The Armand Hammer Foundation

Edited by Olga Hammer and Jeanne D'Andrea

Exhibition Itinerary

Washington D.C.
Smithsonian Institution
National Museum of Natural History
Hirshhorn Museum and Sculpture Garden

New York, New York
M. Knoedler & Co.
Hammer Galleries

Los Angeles, California
Los Angeles County Museum of Art

Monterrey, Mexico
Museo de Monterrey

Photographers
José de los Reyes Medina, M.N.A.
Alfonso Medina Guerra, M.N.A.

Graphic Designer
Gregory Thomas

Consultant
The Armand Hammer Foundation
Martha Wade Kaufman

Production
Sheri Hirst
Warren Kennaugh
Peggy Boe
Mary Chesterfield
Valerie Marin
Pat Willits

Printed in Los Angeles by
Southern California Graphics Corp.
on Mead Moistrite Matte.

Prefacios

Quien haya tenido la suerte de haber visitado el mundialmente famoso Museo Nacional de Antropología en México, no ignora la riqueza de sus colecciones; en cambio, las magníficas piezas que existen en los museos regionales, son menos conocidas. Nunca antes el público norteamericano había podido ver una exhibición representativa del arte de México, que cubriera desde sus orígenes prehistóricos hasta el trabajo monumental de "Los Tres Grandes": Orozco, Rivera y Siqueiros, formada con piezas de los museos oficiales de México.

Esta exposición, que es buen ejemplo de contínuo crecimiento de comprensión cultural entre nuestros dos países; ha sido posible sólo por el entusiasta apoyo y cooperación del Lic. José López Portillo, Presidente de los Estados Unidos Mexicanos, de la Sra. Carmen Romano de López Portillo, del Lic. Santiago Roel, Secretario de Relaciones Exteriores, de la Sra. Margarita López Portillo, Directora General de Radio, Televisión y Cinematografía, del Embajador Jorge Velasco Ocampo, del Dr. Gutierre Tibón, y de los directores y personal de museos, tanto en México como en los Estados Unidos de Norteamérica. Sentimos inmensa gratitud por el privilegio que se nos ha conferido, de mostrar estas magníficas obras de arte, muchas de las cuales nunca habían salido de México y, algunas, ni siquiera de sus museos regionales.

Siempre he sentido que el arte es un emisario universal que nos habla a cada uno, capacitándonos para entendernos y comunicarnos individual, nacional e internacionalmente. Con este espíritu quiero saludarlos, darles la bienvenida, y deseo que compartamos las visiones y alegrías de los artistas que crearon los 39 siglos de arte que presentamos aquí, en una era de paz y prosperidad.

Armand Hammer

Quince años han pasado desde la última exposición de arte mexicano que se ha presentado en Los Angeles. Durante este lapso la población mexicana estadunidense de aquí no sólo ha aumentado geométricamente, sino que ha desarollado el orgullo de su identidad y un intenso deseo de estrechar los lazos que la une con su herencia cultural. Con la totalidad de la población angelina el numero de coleccionistas también se ha multiplicado y la consciencia de México como vecino y como gran entidad cultural ha crecido en medida considerable.

Por consiguiente, cuando el doctor Armand Hammer nos brindó la oportunidad de presentar esta exposición de obras maestras de los Museos Nacionales de México, aceptamos su ofrecimiento con el mayor entusiasmo. Deseo expresar nuestro aprecio más entrañable al doctor Hammer, al Presidente López Portillo y a su familia que ha manifestado un hondo interés personal por la exposición y a todas las personas mencionadas en el prefacio del doctor Hammer por habernos permitido ofrecer a la población de Los Angeles — y especialmente a la nueva generación que ha crecido durante los últimos años — la ocasión de conocer y apreciar la riqueza imaginativa y la fuerza de expresión que han iluminado la creatividad artística de México en el transcurso de los siglos.

Kenneth Donahue, Director
El Museo del Condado de Los Angeles

Prefaces

Anyone fortunate enough to have visited the world-renowned Museo National de Antropología in Mexico City knows the richness of its collections; less well known are the superlative holdings of the regional museums. Never before have the American people been able to see an exhibition surveying the art of Mexico from its beginnings in Prehistory to the monumental work of "Los Tres Grandes" — Orozco, Rivera, and Siqueiros — gathered from the National Museums of Mexico.

This exhibition is a manifestation of the continued growth of cultural awareness between our two countries and is made possible through the enthusiastic support, effort, and cooperation of José López Portillo, President of the United States of Mexico, Mrs. Carmen Romano de López Portillo, Santiago Roel, Secretary of Foreign Relations, Mrs. Margarita López Portillo, Director General of Radio, Television and Cinematography, Ambassador Jorge Velasco Ocampo, Gutierre Tibón, as well as the Directors and Staffs of the Museums of both the United States and Mexico. For the privilege of showing these magnificent works of art, many of which have never before left Mexico — some have not even been seen away from the confines of their regional museums — we owe an immense debt of gratitude.

I have long felt that art is a universal emissary speaking to each one of us; enabling us better to understand and communicate individually, nationally, and internationally. In this spirit I should like to greet you, bid you welcome, and earnestly hope that we shall share the visions and joys of the artists who created the thirty-nine centuries of art represented here in an era of peace and prosperity.

Armand Hammer

Fifteen years have passed since the last comprehensive exhibition of Mexican art was shown in Los Angeles. During that time the Mexican-American population here has not only increased geometrically but has developed a pride of identity and an eagerness to be associated with its cultural heritage. In the total population the number of collectors has multiplied and the awareness of Mexico as a neighbor and cultural entity has grown apace. When, therefore, Dr. Armand Hammer offered us the opportunity to present this exhibition of masterworks from the national museums of Mexico, we accepted the offer with the greatest enthusiasm.

I should like to express our most heartfelt appreciation to Dr. Hammer, to President José López Portillo and his family who have taken a deep personal interest in the exhibition, and to all those listed in Dr. Hammer's foreword, for making it possible for us to give to the people of Los Angeles, and especially to the new generation that has grown up during the past fifteen years, the opportunity to experience the imaginative richness and expressive power that have illumined Mexican artistic creativity over the centuries.

Kenneth Donahue, Director
Los Angeles County Museum of Art

Presentacíon de Santiago Roel

El viejo afán humano de bucear incesantemente en su pasado, de no cejar en la investigación histórica, surge no solo para mejor comprender el presente y normar la conducta en lo futuro, con ser tan importantes, sino además, de la necesidad de redefinir en cada época, a la luz de los hechos actuales y con apoyo en los conocimientos disponibles, la identidad nacional. México ha encontrado su identidad en su mestizaje: la raza indigena y la sangre hispánica, así como en sus instituciones probadas ya por la historia.

La temprana evidencia de una cultura milenaria y diseminada en el vasto territorio que va de la vieja región de Tehuayo—punto original, según Clavijero, del largo peregrinar de las tribus nahuatlacas—, hasta Las Hibueras en el sur, da nacimiento a una búsqueda que nunca concluye. Apenas ayer, México entró en contacto con una piedra monumental de más de 20 toneladas de peso, y una dimension de 3.40 por 2.95 metros, que representa a la diosa de la luna, Coyolxauhqui, hermana de Huitzilopochtli, el gran guerrero, fue descubierta cerca de la Plaza Mayor de nuestra capital.

Caso singular el de nuestra cultura prehispánica: sin contacto con ningún otro sistema social, a pesar de la dispersión de sus asentamientos humanos y de su diversidad racial y el transcurso del tiempo, en el espíritu del mexicano, siempre halla una actitud cosmogónica, casi una cosmovisión, una interdependencia entre dioses y hombres, que requiere un medio de comunicación, un lenguaje y una particular filosofía. Todos los pueblos lo encuentran en la actividad artística, la escultura, la pintura, la orfebrería, en su leyenda, etc. México la halló desde el mito de Quetzalcóatl (Kukulcán) hasta la fuerza e inteligencia de los pueblos indígenas diseminados en la propia República Mexicana.

Las obras maestras que hoy admiramos, son expresión de conocimientos científicos, con una definida posición filosófica ante la vida. Esos pueblos tienen una razón de vivir y, paradojicamente, su propia tradición propicia en la caída, al chocar con los hombres que vinieron de ultramar y la gestación de una nueva raza: la mexicana, orgullosa de su pasado, presente y futuro. El artista, que en la colonia recoge el mensaje de los antiguos mexicanos también se afirma en la vida, no únicamente en las artesanías, la escultura y la pintura: interviene en la modelación del Barroco hasta lograr la muy mexicana versión del estilo Churrigueresco, en el que se desborda toda la imaginación del nativo, mezclada con la inventiva del arquitecto castellano que dio su nombre a ese estilo.

Ya en la época independiente, en la que México ha de afrontar graves y duras pruebas, la cultura y el arte siguen los pasos de los siglos precedentes y, con el mismo vigor, están al servicio de nuestras mejores tradiciones, defendiendo siempre las causas populares, ayudando así a mantener su identidad nacional.

Estamos convencidos de que sólo la cultura, y con ella el derecho y la paz, acercan a los pueblos y las naciones. La técnica y los avances materiales han probado, hasta ahora, su incapacidad para crear esa paz que la humanidad tanto anhela para evitar el holocausto universal. En la cultura, a través de diversas manifestaciones, está la simiente de la comprensión universal que une a todos los hombres en el ideal y en el respeto al derecho ajeno.

México presenta al pueblo de los Estados Unidos esta muestra de cultura, en los distintos períodos de su historia y de todo el ámbito de su territorio nacional, con el deseo de que su conocimiento haga más fuerte la comprensión y con ello la amistad fraterna que debe unir a nuestros paises.

Lic. Santiago Roel García
Secretario de Relaciones Exteriores

Statement of Santiago Roel

Man's ancient eagerness to delve incessantly into his past, through his historical research and writing of histories and philosophies of history, did not come about solely in order to better understand the present and to improve the future. Although these are important undertakings, in each epoch there is also the need of redefining a national identity in the light of actual events and with the help of available knowledge. Mexico has found its own identity in its racial blend: the indigenous race mixed with the Hispanic has endured, as have its institutions, proven now by history.

The evidence of an early culture spread over the vast territory from the old region of Tehauyo, the original point of departure according to Clavijero of the long pilgrimage of the Nahua tribes, to "Las Hibueras" in the South, gives rise to an unending line of research. Only yesterday, Mexico came into contact with a monumental stone weighing more than 30 tons and measuring 11' by 9'7". It represents the Goddess of the Moon, Coyolxauhqui, sister of Huitzilopochtli, the great warrior; it was discovered near the main plaza of our capital.

Our Prehispanic culture presents a unique case: without contact with any other social system, despite the dispersed nature of human settlements, their racial diversity, and the passage of time, a cosmogonic attitude is ever present in the Mexican spirit. It is almost a cosmic vision, an interdependence between gods and men that requires a means of communication, a language, and a special philosophy. All peoples find this in artistic activity, sculpture, painting, gold or silver work; in their legends, etc. Mexico has found it in the myth of Quetzalcoatl (Kukulcan) and in the force and intelligence of the indigenous peoples spread throughout the Republic of Mexico.

The masterworks which we admire today are expressions of scientific knowledge with a defined philosophical attitude toward life. These peoples had a reason for living and paradoxically their own tradition propitiated the fall. In the collision with the men from across the sea, it also generated a new race: the Mexican, proud of his past, present, and future. The artist who during the Colonial period recovers the message of the ancient Mexicans also asserts himself in life, not solely in artisanry, sculpture, and painting. He has a hand in molding the Baroque that becomes a very Mexican version of the Churrigueresque style, one in which all the native imagination overflows, mixed with the inventiveness of the Spanish architect who gave his name to this style.

Later in the period of independence, when Mexico was forced to confront grave and difficult tests, culture and art follow in the steps of the preceding centuries. With the same vigor they serve our best traditions, always defending the popular causes, thus helping to maintain their national identity.

We are convinced that only culture, and with it law and peace, brings peoples and nations together. Technical and material advances have proven, until now, incapable of creating this peace which all humanity longs for in order to avoid a universal holocaust. In culture, through its diverse manifestations, there is the seed of universal understanding which unites all men in the ideal and in the respect for the rights of others.

Mexico presents to the people of the United States a sample of its culture, from the different periods of its history and from the full extent of its national territory, with the desire that the knowledge of it will strengthen understanding and with it the fraternal friendship that should unite our two countries.

Lic. Santiago Roel Garcia
Secretary of Foreign Affairs

Reconocimientos

Acknowledgments

José López Portillo
Presidente Constitucional de
Los Estados Unidos Mexicanos

Carmen Romano de López Portillo

Santiago Roel
Secretario de Relaciones Exteriores

Fernando Solana
Secretario de Educación Pública

Lic. Victor Flores Olea
Subsecretario de Educación y Recreación

Margarita López Portillo

Gutíerre Tibón

Gaston García Cantú, *Director*
Instituto Nacional de Antropología
e Historia, INAH

Juan José Bremer, *Director*
Instituto Nacional de Bellas Artes, INBA

Jorge Velasco Ocampo, *Embajador*
Secretaría de Relaciones Exteriores
Roxana Alvelais, *Auxiliar*
Jorge Díaz Moreno, *Auxiliar*

Beatriz Robles de Tagle, *Coordinadora*
Museos y Exposiciones, INAH
Josefina Dahl, *Auxiliar*

Museo Nacional de Antropología
Alberto Ruz, *Director*
Noemí Castillo-Tejero
Mario Vázquez

Museo Nacional de Historia
Felipe Lacouture, *Director*

Museo Nacional del Virreinato
María del Consuelo Maquívar,
Directora

Director de Artes Plásticas, INBA
Oscar Urrutia
Museo de Arte Moderno
Fernando Gamboa, *Director*
Museo Pinacoteca Virreinal
Carmen de Andrade, *Directora*
Museo Carrillo Gil
Miriam Molina, *Directora*

Museografía
Alfonso Soto Soria
Rodolfo Rivera
Hector Cárdenas

Conservador de la Exposición
Victor Manuel Rios
Mariano López, *Auxiliar*

Smithsonian Institution
S. Dillon Ripley, *Secretary*
Paul N. Perrot

National Museum of Natural History
Porter Kier, *Director*
Gene Behlen
Jane Walsh

Hirshhorn Museum and Sculpture
  Garden
Abram Lerner, *Director*
Nancy Kirkpatrick
Cynthia McCabe

Los Angeles County Museum of Art
Kenneth Donahue, *Director*
Jeanne D'Andrea
Maurice Tuchman
Stephanie Barron

The Armand Hammer Foundation
Olga Hammer, *Director*
José Luis Franco

The National Museums of Mexico
Los Museos Nacionales de México

Instituto Nacional de Antropología e Historia Museo Nacional de Antropología, México D.F.	I.N.A.H.
Instituto Nacional de Bellas Artes, México D.F.	I.N.B.A.
Museo de Antropología de la Universidad de Veracruz, Jalapa	M.A.U.V.
Museo de Arte Moderno, México D.F.	M.A.M.
Museo Carrillo Gil, México D.F.	M.C.G.
Museo Diego Rivera, Guanajuato	M.D.R.
Museo Nacional de Historia, México D.F.	M.N.H.
Museo Nacional del Virreinato, Tepotzotlán	M.N.V.
Museo Regional de Chiapas, Tuxtla Gutíerrez	M.R.C.
Museo Regional de Jalapa	M.R.J.
Museo Regional de Guadalajara	M.R.G.
Museo Regional de Oaxaca	M.R.O.
Museo Regional de Tabasco, Villahermosa	M.R.T.
Museo San Carlos, México D.F.	I.N.A.H.
Pinacoteca Virreinal, México D.F.	P.V.

Abbreviations are used in the catalog entries.
Abreviaturas usadas en las cédulas.

El Arte de México: Materia y Sentido

Diosa, demonia, obra maestra

El 13 de Agosto de 1790, mientras ejecutaban unas obras municipales y removían el piso de la Plaza Mayor de la ciudad de México, los trabajadores descubrieron una estatua colosal. La desenterraron y resultó ser una escultura de la diosa Coatlicue, "la de la falda de serpientes". El virrey Revillagigedo dispuso inmediatamente que fuese llevada a la Real y Pontificia Universidad de México como "un monumento de la antiguedad americana". Años antes Carlos III había donado a la Universidad una colección de copias en yeso de obras grecorromanas y la Coatlicue fue colocada entre ellas. No por mucho tiempo. Antes de que terminase el año, los doctores universitarios decidieron que se volviese a enterrar en el mismo sitio en que había sido encontrada. La imagen azteca no sólo podía avivar entre los indios la memoria de sus antiguas creencias sino que su presencia en los claustros era una afrenta a la idea misma de belleza. No obstante, el erudito Antonio de León y Gama tuvo tiempo de hacer una descripción de la estatua y de otra piedra que había sido encontrada cerca de ella: el Calendario Azteca. Las notas de Leon y Gama no se publicaron sino hasta 1804 en Roma. El barón Alejandro de Humboldt, durante su estancia en México, el mismo año, muy probablemente las leyó en esa traducción italiana.* Pidió entonces, según refiere el historiador Ignacio Bernal, que se le dejase examinar la estatua. Las autoridades accedieron, la desenterraron y, una vez que el sabio alemán hubo satisfecho su curiosidad, volvieron a enterrarla. La presencia de la estatua terrible era insoportable.

La Coatlicue Mayor—así la llaman ahora los arqueólogos para distinguirla de otras esculturas de la misma deidad—no fue desenterrada definitivamente sino años después de la Independencia. Primero la arrinconaron en un patio de la Universidad; después, estuvo en un pasillo, tras un biombo, como un objeto alternativamente de curiosidad y de bochorno; más tarde la colocaron en un lugar visible, como una pieza de interés científico e histórico; hoy ocupa un lugar central en la gran sala del Museo Nacional de Antropología consagrada a la cultura azteca. La carrera de la Coatlicue—de diosa a demonio, de demonio a monstruo y de monstruo a obra maestra—ilustra los cambios de sensibilidad que hemos experimentado durante los últimos cuatrocientos años. Esos cambios reflejan la progresiva secularización que distingue a la modernidad. Entre el sacerdote azteca que la veneraba como una diosa y el fraile español que la veía como una manifestación demoníaca, la oposición no es tan profunda como parece a primera vista: para ambos la Coatlicue era una presencia sobrenatural, un "misterio tremendo". La divergencia entre la actitud del siglo

*Cf. Gutierre Tibón: *Historia del nombre y la fundación de México*, F.C.E., México, 1975.

The Art of Mexico: Subject Matter and Meaning

Goddess, demon, masterpiece

On August thirteenth of 1790, as city workers were removing the pavement of the Plaza Mayor in Mexico City, they discovered a colossal statue. They unearthed it and it proved to be a sculpture of the goddess Coatlicue, "she of the skirt of serpents." The viceroy Revillagigedo arranged immediately for it to be taken to the Royal and Pontifical University of Mexico as "a monument of American antiquity." Years before, Charles III had given the university a collection of plaster copies of Greco-Roman works, and the Coatlicue was placed among them. Not for long. Before the year was over, the professors at the university decided the sculpture should be reburied in the place where it had been found. The Aztec image not only could rekindle among the Indians the memory of their ancient beliefs, but its presence in the cloisters was an affront to the idea of beauty itself. Nevertheless, the erudite Antonio de León y Gama had time to do a description of the statue and of another stone that had been found near it: the Aztec Calendar. The notes of León y Gama were not published until 1804 in Rome. Baron Alexander von Humboldt, during his stay in Mexico the same year, very probably read them in that Italian translation.* He asked then, according to the historian Ignacio Bernal, that he be allowed to examine the statue. The authorities agreed, they excavated it, and, once the learned German had satisfied his curiosity, they buried it again. The presence of the temple statue was unbearable.

The Great Coatlicue — so named now by archaeologists to distinguish it from other sculptures of the same deity — was not definitively excavated until years after Mexican Independence. First it was hidden in a corner of a patio of the university; then it was in a passageway, behind a screen, as an object alternately of curiosity and of embarrassment; later it was placed in a visible location, as an object of scientific and historic interest; today it occupies a central position in the great hall consecrated to Aztec culture in the National Museum of Anthropology. The career of Coatlicue — from goddess to demon, from demon to monster, and from monster to masterpiece —illustrates the changes in sensibility that we have experienced during the past four hundred years. These changes reflect the progressive secularization that distinguishes modernity. Between the Aztec priest who venerated it as a goddess and the Spanish friar who saw it as a demoniac manifestation, the difference is not as profound as it appears to be at first glance: for both, the Coatlicue was a supernatural presence, a "tremendous mystery." The divergent attitudes of the 18th and 19th centuries also reveal a likeness: the reprobation of the first and the enthusiasm of the

*Cf. Gutierre Tibón: *Historia del nombre y la fundación de México*, F.C.E., México, 1975.

XVIII y la del siglo XX encubre asímismo una semejanza: la reprobación del primero y el entusiasmo del segundo son de orden predominantemente intelectual y estético. Desde fines del siglo XVIII la Coatlicue abandona el territorio magnético de lo sobrenatural y penetra en los corredores de la especulación estética y antropológica. Cesa de ser una cristalización de los poderes del otro mundo y se convierte en un episodio en la historia de las creencias de los hombres. Al dejar el templo por el museo, cambia de naturaleza ya que no de apariencia.

A pesar de todos estos cambios, la Coatlicue sigue siendo la misma. No ha dejado de ser el bloque de piedra de forma vagamente humana y cubierto de atributos aterradores que untaban con sangre y sahumaban con incienso de copal en el Templo Mayor de Tenochtitlan. Pero no pienso únicamente en su aspecto material sino en su irradiación psíquica: como hace cuatrocientos años, la estatua es un objeto que, simultaneamente, nos atrae y nos repele, nos seduce y nos horroriza. Conserva intactos sus poderes, aunque hayan cambiado el lugar y el modo de su manifestación. En lo alto de la pirámide o enterrada entre los escombros de un *teocalli* derruido, escondida entre los trebejos de un gabinete de antiguedades o en el centro de un museo, la Coatlicue provoca nuestro asombro. Imposible no detenerse ante ella, así sea por un minuto. Suspensión del ánimo: la masa de piedra, enigma labrado, paraliza nuestra mirada. No importa cual sea la sensación que sucede a ese instante de inmovilidad: admiración, horror, entusiasmo, curiosidad—la realidad, una vez más, sin cesar de ser lo que vemos, se muestra como aquello que está más allá de lo que vemos. Lo que llamamos "obra de arte"—designación equívoca, sobre todo aplicada a las obras de las civilizaciones antiguas—no es tal vez sino una configuración de signos. Cada espectador combina esos signos de una manera distinta y cada combinación emite un significado diferente. Sin embargo, la pluralidad de significados se resuelve en un *sentido* único, siempre el mismo. Un sentido que es inseparable de lo sentido.

El desenterramiento de la Coatlicue repite, en el modo menor, lo que debió haber experimentado la conciencia europea ante el descubrimiento de América. Las nuevas tierras aparecieron como una dimensión desconocida de la realidad. El Viejo Mundo estaba regido por la tríada: tres tiempos, tres edades, tres humores, tres personas, tres continentes. América no cabía, literalmente, en la visión tradicional del mundo. Después del descubrimiento, la tríada perdió sus privilegios. No más tres dimensiones y una sola realidad verdadera: América añadía otra dimensión, la cuarta, la dimensión desconocida. A su vez, la nueva dimensión no estaba regida por el principio trinitario sino por la cifra cuatro. Para los indios americanos el espacio y el tiempo, mejor dicho: el espacio/tiempo, dimensión una y dual de la realidad, obedecía a la ordenación de los cuatro puntos cardinales: cuatro

second are of a predominantly intellectual and aesthetic order. From the end of the 18th century the Coatlicue abandons the magnetic territory of the supernatural and penetrates the corridors of aesthetic and anthropologic speculation. It ceases to be a crystallization of the powers of the other world and becomes an episode in the history of human belief. In leaving the temple for the museum, it changes its nature if not its appearance.

Despite all these changes, the Coatlicue continues to be the same. It is still the block of stone in a vaguely human form covered with dreadful attributes that were smeared with blood and smoked with *copal* incense in the Great Temple of Tenochtitlan. But I do not think only of its material aspect but also of its psychic irradiance: as it was four hundred years ago, the statue is an object that, simultaneously, attracts us and repels us, seduces us and horrifies us. Its powers remain intact, even though its location and the way it is shown have been changed. At the height of the pyramid or buried among the debris of a ruined *teocalli,* hidden among the odds and ends in a cabinet of antiquities, or in the center of a museum, the Coatlicue provokes amazement. It is impossible not to stop before her, even if only for a moment. We are astounded: the mass of stone, carved enigma, paralyzes our glance. It does not matter what is felt in that instant of immobility: admiration, horror, enthusiasm, curiosity — reality, once more, without ceasing to be what we see, proves to be something beyond what we see. What we call a "work of art" — an inaccurate term, above all when applied to works of ancient civilizations — is perhaps only a configuration of signs. Each viewer combines those signs in a distinct manner and each combination results in a different meaning. Nevertheless, the plurality of meanings is resolved in a single *meaning,* always the same. A sense that is inseparable from what is felt.

The unearthing of the Coatlicue repeats, on a smaller scale, what the European consciousness must have experienced with the discovery of America. The new lands appeared as an unknown dimension of reality. The Old World was ruled by the triad: three times, three ages, three humors, three persons, three continents. America did not fit, literally, into the traditional view of the world. After the discovery, the triad lost its preeminence. No longer three dimensions and one true reality: America added another dimension, the fourth, the unknown dimension. In its turn, the new dimension was not governed by the ternary principle but instead by the number four. For the Indians of America space and time, or rather, space/time, single and dual dimension of reality, obeyed the order of the four cardinal points: four destinies, four gods, four colors, four eras, four other worlds. Each god had four aspects; each space, four directions; each reality, four faces. The fourth continent had issued forth as a full presence, palpable, filled with itself, its mountains and its rivers, its deserts and its jungles, its chimerical gods and its ready riches

destinos, cuatro dioses, cuatro colores, cuatro eras, cuatro trasmundos. Cada dios tenía cuatro aspectos; cada espacio, cuatro direcciones; cada realidad, cuarto caras. El cuarto componente había surgido como una presencia plena, palpable, henchida de sí, con sus montañas y sus ríos, sus desiertos y sus selvas, sus dioses quiméricos y sus riquezas contantes y sonantes—lo real en sus expresiones más inmediatas y lo maravilloso en sus manifestaciones más delirantes. No otra realidad sino el otro aspecto, la otra dimensión de la realidad. América, como la Coatlicue, era la revelación visible, pétrea, de los poderes invisibles.

A medida que las nuevas tierras se desplegaban ante los ojos de los europeos, revelaban que no sólo eran una naturaleza sino una historia. Para los primeros misioneros españoles, las sociedades indias se presentaron como un misterio teológico. La *Historia General de las Cosas de Nueva España* es un libro extraordinario, una de las obras con que comienza—y comienza admirablemente—la ciencia antropológica, pero su autor, Bernardino de Sahagún, creyó siempre que la religión de los antiguos mexicanos era una añagaza de Satanás y que había que extirparla del alma india. Más tarde el misterio teológico se transformó en problema histórico. Cambió la perspectiva intelectual, no la dificultad. A diferencia de lo que ocurría con persas, egipcios o babilonios, las civilizaciones de América no eran más antiguas que la europea: eran diferentes. Su diferencia era radical, una verdadera *otredad*.

Por más aislados que hayan estado los centros de civilización en el Viejo Mundo, siempre hubo relaciones y contactos entre los pueblos del Mediterráneo y los del Cercano Oriente y entre éstos y los de la India y el Extremo Oriente. Los persas y los griegos estuvieron en la India y el budismo indio penetró en China, Corea y Japón. En cambio, aunque no es posible excluir enteramente la posibilidad de contactos entre las civilizaciones de Asia y las de América, es claro que éstas últimas no conocieron nada equivalente a la transfusión de ideas, estilos, técnicas y religiones que vivificaron a las sociedades del Viejo Mundo. En la América precolombina no hubo influencias exteriores de la importancia de la astronomía babilonia en el Mediterráneo, el arte persa y griego en la India budista, el budismo mahayana en China, los ideogramas chinos y el pensamiento confuciano en Japón. Según parece, hubo contactos entre las sociedades mesoamericanas y las andinas, pero ambas civilizaciones poco o nada deben a las influencias extrañas. De las técnicas económicas a las formas artísticas y de la organización social a las concepciones cosmológicas y éticas, las dos grandes civilizaciones americanas fueron, en el sentido lato de la palabra, originales: su origen está en ellas. Esta originalidad fue, precisamente, una de las causas, quizá la decisiva, de su pérdida. Originalidad es sinónimo de *otredad* y ambas de aislamiento. Las dos civilizaciones americanas jamás conocieron algo que fue una experiencia repetida y constante de las sociedades del Viejo

— the real in its most immediate expressions and the marvellous in its most delirious manifestations. Not another reality but the other aspect, the other dimension of reality. America, like the Coatlicue, was the visible revelation, stone root, of invisible powers.

As the new lands spread out before the eyes of the Europeans, they revealed not only nature but history. For the first Spanish missionaries, the Indian societies appeared a theological mystery. The *Historia General de las Cosas de Nueva España* is an extraordinary book, one of the works with which the science of anthropology begins — and begins admirably — but its author, Bernardino de Sahagún, always believed that the religion of ancient Mexico was a lure of Satan and that it had to be eradicated from the Indian soul. Later the theological mystery became transformed into a historical problem. The intellectual perspective changed, not the difficulty. Unlike the Persians, Egyptians, or Babylonians, the civilizations of America were not older than Europe: they were different. Their difference was radical: a virtual *otherness*.

Even though the civilized centers of the Old World were often widely separated, there were always relations and contacts between the peoples of the Mediterranean and those of the Near East and between these peoples and those of India and the Far East. The Persians and the Greeks were in India, and Indian Buddhism penetrated China, Korea, and Japan. On the other hand, although one cannot entirely exclude the possibility of contacts between the civilizations of Asia and those of America, it is clear that the latter knew nothing equivalent to the transmission of ideas, styles, techniques, and religions that invigorated the societies of the Old World. In Precolumbian America there were no outside influences of the importance of Babylonian astronomy in the Mediterranean, Persian and Greek art in Buddhist India, Mahayana Buddhism in China, Chinese ideograms and Confucian thought in Japan. Apparently there were contacts between Mesoamerican and Andean societies, but both civilizations owe little or nothing to foreign influences. From economic techniques to art forms and from social organization to cosmological and ethical conceptions the two great American civilizations were, in the literal sense of the word, original: their origin is from within. This originality was precisely one of the causes, perhaps the decisive one, of their downfall. Originality is synonymous with *otherness* and both with isolation. The two American civilizations never knew something that was a constant and repeated experience of the societies of the Old World: the presence of the *other,* the intrusion of foreign civilizations and peoples. For this reason they saw the Spaniards as beings from another world, gods. The reason for the defeat should not be sought so much in their technological inferiority as in their historic isolation. Among their ideas was that of another world and its gods, not that of another civilization and its men.

Mundo: la presencia del *otro,* la intrusión de civilizaciones y pueblos extraños. Por eso vieron a los españoles como seres llegados de otro mundo, dioses. La razón de su derrota no hay que buscarla tanto en su inferioridad técnica como en su soledad histórica. Entre sus ideas se encontraba la de otro mundo y sus dioses, no la de otra civilización y sus hombres.

La conciencia histórica europea se enfrentó desde el principio a las impenetrables civilizaciones americanas. A partir de la segunda mitad del siglo XVI se multiplicaron las tentativas para suprimir unas diferencias que parecían negar la unidad de la especie humana. Algunos sostuvieron que los antiguos mexicanos eran una de las tribus perdidas de Israel; otros les atribuían un origen fenicio o cartaginés; otros más, como el sabio mexicano Sigüenza y Góngora, sobrino del gran poeta Góngora por el lado materno, pensaban que la semejanza entre algunos ritos mexicanos y cristianos era un eco deformado de la prédica del Evangelio por el Apóstol Santo Tomás, conocido entre los indios bajo el nombre de Quetzalcóatl (Sigüenza también creía que Neptuno había sido un caudillo civilizador, origen de los mexicanos); el jesuita Atanasio Kircher, enciclopedia andante, atacado de egiptomanía, dictaminó que la civilización de México, como se veía por las pirámides y otros indicios, era una versión ultramarina de la de Egipto —opinión que debe haber encantado a su lectora y admiradora, Sor Juana Inés de la Cruz ... Después de cada una de estas operaciones de encubrimiento, la *otredad* americana reaparecía. Era irreductible. El reconocimiento de esa diferencia, al expirar el siglo XVIII, fue el comienzo de la verdadera comprensión. Reconocimiento que implica una paradoja: el puente entre yo y el otro no es una semejanza sino una diferencia. Lo que nos une no es un puente sino un abismo. El hombre es plural: los hombres.

La piedra y el movimiento

El arte sobrevive a las sociedades que lo crean. Es la cresta visible de ese *iceberg* que es cada civilización hundida. La recuperación del arte del antiguo México se realizó en el siglo XX. Primero vino la investigación arqueológica e histórica; después, la comprensión estética. Se dice con frecuencia que esa comprensión es ilusoria: lo que sentimos ante un relieve de Palenque no es lo que sentía un maya. Es cierto. También lo es que nuestros sentimientos y pensamientos ante esa obra son reales. Nuestra comprensión no es ilusoria: es ambigua. Esta ambigüedad aparece en todas nuestras visiones de las obras de otras civilizaciones e incluso frente a las de nuestro propio pasado. No somos ni griegos, ni chinos, ni árabes; tampoco podemos decir que comprendemos cabalmente la escultura románica o la bizantina. Estamos condenados a la traducción y cada una de nuestras traducciones, trátese del arte gótico o del egipcio, es una metáfora, una transmutación del original.

En la recuperación del arte prehispánico de México

The European historic consciousness came into conflict from the beginning with the impenetrable American civilizations. From the second half of the 16th century attempts multiplied to suppress those differences that seemed to negate the unity of the human race. Some maintained that the ancient Mexicans were one of the lost tribes of Israel; others ascribed to them a Phoenician or Carthaginian origin; still others — like the learned Mexican Sigüenza y Góngora, nephew of the great poet Góngora on the maternal side —thought that the likeness between certain Mexican and Christian rituals was a deformed echo of the evangelical sermon by the Apostle Saint Thomas, known among Indians as Quetzalcoatl. (Sigüenza also believed that Neptune had been a cultural hero, leader of the Mexicans.) The Jesuit Atanasius Kircher, walking encyclopedia, attacked by Egyptomania, suggested that the civilization of Mexico, as could be seen by the pyramids and other indications, was a version across the sea of that of Egypt — opinion that must have enchanted his reader and admirer, Sor Juana Inés de la Cruz.... After each one of these operations of concealment the American *otherness* reappeared. It was irreducible. The recognition of that difference, at the end of the 18th century, was the beginning of a real understanding. Recognition that implied a paradox: the bridge between I and other is not a likeness but a difference. What unites us is not a bridge but an abyss. Man is plural: men.

Stone and Movement

Art survives the societies that create it. It is the visible crest of the iceberg that is each submerged civilization. The recovery of the art of ancient Mexico was realized in the 19th century. Archaeological and historic research came first; aesthetic comprehension later. It is frequently said that the comprehension is illusory: what we feel before a relief from Palenque is not what a Maya felt. This is certainly true. It is also certain that our sentiments and thoughts in front of that work are real. Our comprehension is not illusory: it is ambiguous. This ambiguity appears in all our views of the works of other civilizations, including those of our own past. We are not Greeks, Chinese, or Arabs; nor can we say we completely understand Romanesque or Byzantine sculpture. We are condemned to the translation and each one of our translations, whether it is of Gothic art or Egyptian, is a metaphor, a transmutation of the original.

In the recovery of the Prehispanic art of Mexico two circumstances came together. The first was the Mexican Revolution, which profoundly modified the view of our past. The history of Mexico, above all in its two great episodes, the Conquest and Independence, can be seen as a double break: the first with the Indian past, the second with New Spain. The Mexican Revolution was an attempt, in part realized, to retie the knots broken by the Conquest and the Independence.

se conjugaron dos circunstancias. La primera fue la Revolución Mexicana, que modificó profundamente la visión de nuestro pasado. La historia de México, sobre todo en sus dos grandes episodios: la Conquista y la Independencia, puede verse como una doble ruptura: la primera con el pasado indio, la segunda con el novohispano. La Revolución Mexicana fue una tentativa, realizada en parte, por reanudar los lazos rotos por la Conquista y la Independencia. Descubrimos de pronto que éramos, como dice el poeta López Velarde, "una tierra castellana y morisca, rayada de azteca". No es extraño que, deslumbrados por los restos brillantes de la antigua civilización, recién desenterrados por los arqueólogos, los mexicanos modernos hayamos querido recoger y exaltar ese pasado grandioso. Pero este cambio de visión histórica habría sido insuficiente de no coincidir con otro cambio en la sensibilidad estética de Occidente. El cambio fue lento y duró siglos. Se inició casi al mismo tiempo que la expansión europea y sus primeras expresiones se encuentran en las crónicas de los navegantes, conquistadores y misioneros españoles y portugueses. Después, en el XVII, los jesuitas descubren la civilización china y se enamoran de ella, una pasión que compartirán, un siglo más tarde, sus enemigos, los filósofos de la Ilustración. Al comenzar el XIX los románticos alemanes sufren una doble fascinación: el sánscrito y la literatura de la India—y así sucesivamente hasta que la conciencia estética moderna, al despuntar nuestro siglo, descubre las artes de Africa, América y Oceanía. El arte moderno de Occidente, que nos ha enseñado a ver lo mismo una máscara negra que un fetiche polinesio, nos abrió el camino para comprender el arte antiguo de México. Así, la *otredad* de la civilización mesoamericana se resuelve en lo contrario: gracias a la estética moderna, esas obras tan distantes son también nuestras contemporáneas.

He mencionado como rasgos constitutivos de la civilización mesoamericana la originalidad, el aislamiento y lo que no he tenido más remedio que llamar la *otredad*. Debo añadir otras dos características: la homogeneidad en el espacio y la continuidad en el tiempo. En el territorio mesoamericano—abrupto, variado y en el que coexisten todos los climas y los paisajes—surgieron varias culturas cuyos límites, *grosso modo,* coinciden con los de la geografía: el Noroeste, el Altiplano central, la costa del Golfo de México, el valle de Oaxaca, Yucatán y las tierras bajas del Sureste hasta Guatemala y Honduras. La diversidad de culturas, lenguas y estilos artísticos no rompe la unidad esencial de la civilización. Aunque no es fácil confundir una obra maya con una teotihuacana—los dos polos o extremos de Mesoamérica—en todas las grandes culturas aparecen ciertos elementos comunes. A continuación enumero los que me parecen salientes: el cultivo del maíz, el frijol y la calabaza; la ausencia de animales de tiro y, por lo tanto, de la rueda y del carro; una tecnología más bien primitiva y que no llegó a rebasar la edad de piedra, salvo en ciertas actividades,

We discovered suddenly that we were, as the poet López Velarde says, "a Spanish and Moorish land striped with Aztec." It is not strange that, dazzled by the brilliant remains of the ancient civilization freshly unearthed by the archaeologists, we modern Mexicans have wanted to gather up and exalt this grandiose past. But this change of historic view would have been insufficient had it not coincided with another change, in the aesthetic sensibility of the West. The change was slow and lasted centuries. It began at almost the same time as European expansion and its first expressions are found in the chronicles of the navigators, conquistadors, and Spanish and Portuguese missionaries. Later, in the 17th century, the Jesuits discovered the civilization of China and fell in love with it, a passion that they would share a century later with their enemies, the philosophers of the Enlightenment. At the beginning of the 19th century the German Romantics suffered a double fascination: Sanskrit and Indian literature — and so it continued until modern aesthetic consciousness, at the dawn of our century, discovered the art of Africa, America, and Oceania. Modern art of the West, which taught us to see equally a Black mask and a Polynesian fetish, opened the way for our understanding of ancient Mexican art. Thus, the *otherness* of Mesoamerican civilization is resolved in its opposite: thanks to modern aesthetics, these very remote works are also our contemporaries.

I have mentioned as constituent traits of Mesoamerican civilization originality, isolation, and what I could only call *otherness.* I must add two other characteristics: homogeneity of space and continuity in time. In the territory of Mesoamerica — abrupt, varied, with every climate and landscape — various cultures developed whose limits, *grosso modo,* coincided with geographic ones: the Northwest, the High Central Plateau, the coast of the Gulf of Mexico, the valley of Oaxaca, Yucatán, and the lowlands of the Southeast toward Guatemala and Honduras. The diversity of cultures, languages, and artistic styles does not break the essential unity of the civilization. Although it is not easy to confuse a Mayan work with one from Teotihuacan — the two poles or extremes of Mesoamerica — certain common elements appear in all the great cultures. Those that seem to me most important are the cultivation of maize, beans, and squash; the absence of beasts of burden, and consequently of the wheel and the cart; a rather primitive technology that did not develop beyond the Stone Age, except in certain techniques such as the exquisite gold work; city states with a theocratic-military social system in which the merchant caste occupied a prominent place; hieroglyphic writing; codices; a complex calendar based on the combination of a "year" of 260 days and another, a solar year, of 365 days; the ritual game with a rubber ball (this game is the antecedent of modern sports in which two teams compete with an elastic ball, as in basketball and football); a very advanced science of astronomy,

como los exquisitos trabajos de orfebrería; Ciudades-Estado con un sistema social teocrático-militar y en las que la casta de los comerciantes ocupaba un lugar destacado; escritura jeroglífica; códices; un complejo calendario basado en la combinación de un "año" de 260 días y otro, el solar, de 365 días; el juego ritual con una pelota de hule (este juego es el antecedente de los deportes modernos en que dos equipos se disputan el triunfo con una pelota elástica, como el basquetbol y el futbol); una ciencia astronómica muy avanzada, inseparable como en Babilonia de la astrología y de la casta sacerdotal; centros de comercio no sin analogías con los modernos "puertos libres"; una visión del mundo que conjugaba las revoluciones de los astros y los ritmos de la naturaleza en una suerte de danza del universo, expresión de la guerra cósmica que, a su vez, era el arquetipo de las guerras rituales y de los sacrificios humanos en grande escala; un sistema ético-religioso de gran severidad y que incluía prácticas como la confesión y la automutilación; una especulación cosmológica en la que desempeñaba una función cardinal la noción del tiempo, impresionante por su énfasis en los conceptos de movimiento, cambio y catástrofe—una cosmología que, como ha mostrado Jacques Soustelle, fue también una filosofía de la historia; un panteón religioso regido por el principio de la metamorfosis: el universo es tiempo, el tiempo es movimiento y el movimiento es cambio, ballet de dioses enmascarados que danzan la pantomima terrible de la creación y destrucción de los mundos y los hombres; un arte que maravilló a Durero antes de asombrar a Baudelaire, y en el que se han reconocido temperamentos tan diversos como los surrealistas y Henry Moore; una poesía que combina la suntuosidad de las imágenes con la penetración metafísica.

La continuidad en el tiempo no es menos notable que la unidad en el espacio: cuatro mil años de existencia desde el nacimiento en las aldeas del neolítico hasta la muerte en el siglo XVI. La civilización mesoamericana, en sentido estricto, comienza hacia 1200 antes de Cristo con una cultura que, *faute de mieux,* llamamos *olmeca.* A los olmecas se les debe, entre otras cosas, la escritura jeroglífica, el calendario, los primeros avances en la astronomía, la escultura monumental (las cabezas colosales) y el impar, salvo en China, tallado del jade. Los olmecas son el tronco común de las grandes ramas de la civilización mesoamericana: Teotihuacan en el Altiplano, El Tajín en el Golfo, los zapotecas (Monte Albán) en Oaxaca, los mayas en Yucatán y en las tierras bajas del Sudeste, Guatemala y Honduras. Este período es el del apogeo. Se inicia hacia 300 después de Cristo y se caracteriza por la formación de Estados-ciudades gobernados por teocracias poderosas. Aparecen los bárbaros por el Norte y crean nuevos Estados. Comienza otra época, acentuadamente militarista. En 856, en el Altiplano, a imagen y semejanza de Teotihuacán, —la Alejandría y la Roma mesoamericana—, se funda Tula. Su influencia se extiende, en el siglo X, hasta Yucatán (Chichén Itzá). En Oaxaca declinan los zapotecas, desplazados por los mixtecas.

inseparable as in Babylonia from astrology and the priestly class; commercial centers not dissimilar to modern "free ports"; a vision of the world that conjugated the revolutions of the stars and the rhythms of nature in a kind of universal dance, expression of the cosmic war that, in its turn, was the archetype of the ritual wars and human sacrifices on a grand scale; a very severe ethico-religious system that included practices like confession and self-mutilation; a cosmological speculation in which the notion of time played a major part, impressive for its emphasis on the concepts of movement, change, and catastrophe — a cosmology that, as Jacques Soustelle has shown, was also a philosophy of history; a religious pantheon ruled by the principle of metamorphosis: the universe is time, time is movement, and movement is change, a ballet of masked gods that dance the terrible pantomime of the creation and destruction of worlds and men; an art that caused Dürer to marvel before it amazed Baudelaire and in which temperaments as diverse as the Surrealists and Henry Moore have recognized themselves; a poetry that combines sumptuosity of images with metaphysical penetration.

The continuity in time is no less notable than the unity in space: four thousand years of existence from birth in the Neolithic villages to death in the 16th century. Mesoamerican civilization, in the strict sense, begins about 1200 years before Christ with a culture that, *faute de mieux,* we call *Olmec.* We are indebted to the Olmecs for, among other things, hieroglyphic writing, the calendar, the first advances in astronomy, monumental sculpture (the colossal heads), and their jade carving, unequalled except by China. The Olmecs are the common trunk of the great branches of Mesoamerican civilization: Teotihuacan on the High Central Plateau, El Tajín on the Gulf Coast, the Zapotecs (Monte Albán) in Oaxaca, the Mayas in Yucatán and in the low countries of the Southeast, Guatemala and Honduras. This is the period of apogee. It begins about 300 years after Christ and is characterized by the formation of city states governed by powerful theocracies. Barbarians from the North appear and they create new states. Another epoch begins, decidedly militaristic. In 856, on the High Central Plateau, in the image and likeness of Teotihuacan — the Alexandria and Rome of Mesoamerica — Tula is founded. Its influence spreads in the 10th century, as far as Yucatán (Chichen Itza). In Oaxaca the Zapotecs decline, displaced by the Mixtecs. On the Gulf Coast: Huastecs and Totonacs. Tula falls in the 12th century. Once again the "warring kingdoms" emerge, as in China before the Han dynasty. The Aztecs found Mexico — Tenochtitlan — in 1325. The new capital is inhabited by the specter of Tula as it was, in its turn, by that of Teotihuacan. Mexico — Tenochtitlan — was a true imperial city, and with the arrival of Cortés in 1519 it had a population of more than a half million.

In the history of Mesoamerica, as in that of every civilization, there were great fluctuations and

En el Golfo: huastecas y totonacas. Derrumbe de Tula en el siglo XII. Otra vez los "reinos combatientes", como en la China anterior a los Han. Los aztecas fundan México-Tenochtitlan en 1325. La nueva capital está habitada por el espectro de Tula que, a su vez, lo estuvo por el de Teotihuacan. México-Tenochtitlan fue una verdadera ciudad imperial y a la llegada de Cortés, en 1519, contaba con más de medio millón de habitantes.

En la historia de Mesoamérica, como en la de todas las civilizaciones, hubo grandes agitaciones y revueltas pero no cambios substanciales como, por ejemplo, en Europa, la transformación del mundo antiguo por el cristianismo. Los arquetipos culturales fueron esencialmente los mismos desde los olmecas hasta el derrumbe final. Otro rasgo notable y quizá único: la coexistencia de un indudable primitivismo en materia técnica—ya señalé que en muchos aspectos los mesoamericanos no rebasaron el neolítico—con altas concepciones religiosas y un arte de gran complejidad y refinamiento. Sus descubrimientos e inventos fueron numerosos y entre ellos hubo dos realmente excepcionales: el del cero y el de la numeración por posiciones. Ambos fueron hechos antes que en la India y con entera independencia. Mesoamérica muestra, una vez más, que una civilización no se mide, al menos exclusivamente, por sus técnicas de producción sino por su pensamiento, su arte y sus logros morales y políticos.

En Mesoamérica coexistió una alta civilización con una vida rural no muy alejada de la que conocieron las aldeas arcaicas antes de la revolución urbana. Esta división se refleja en el arte. Los artesanos de las aldeas fabricaron objetos de uso diario, generalmente en arcilla y otras materias frágiles, que nos encantan por su gracia, su fantasía, su humor. Entre ellos la utilidad no estaba reñida con la belleza. A este tipo de arte pertenecen también muchos objetos mágicos, transmisores de esa energía psíquica que los estoicos llamaban la "simpatía universal," ese fluido vital que une a los seres animados—hombres, animales, plantas—con los elementos, los planetas y los astros. El otro arte es el de las grandes culturas. El arte religioso de las teocracias y el arte aristocrático de los príncipes. El primero fue casi siempre monumental y público; el segundo, ceremonial y suntuario. La civilización mesoamericana, como tantas otras, no conoció la experiencia estética pura; quiero decir, lo mismo ante el arte popular y mágico que ante el religioso, el goce estético no se daba aislado sino unido a otras experiencias. La belleza no era un valor aislado; en unos casos estaba unida a los valores religiosos y en otros a la utilidad. El arte no era un fin en sí mismo sino un puente o un talismán. Puente: la obra de arte nos lleva del aquí de ahora a un allá en otro tiempo. Talismán: la obra cambia la realidad que vemos por otra: Coatlicue es la tierra, el sol es un jaguar, la luna es la cabeza de una diosa decapitada. La obra de arte es un medio, un agente de transmisión de fuerzas y poderes sagrados,

upheavals but not substantial changes as, for example, in Europe, where the ancient world was transformed by Christianity. The cultural archetypes were essentially the same from Olmec times until the final collapse. Another notable and perhaps unique trait: the coexistence of an undeniable primitivism in terms of technology — I have already indicated that in many ways Mesoamericans did not advance beyond the Neolithic Age — with lofty religious concepts and an art of great complexity and refinement. Their discoveries and inventions were numerous and among them were two truly exceptional ones: that of the concept of zero and that of positional numeration. Both discoveries were made earlier here than in India and completely independently. Mesoamerica shows, once more, that a civilization is not measured, at least exclusively, by its techniques of production but by its thought, its art, and its moral and political achievements.

In Mesoamerica a high civilization coexisted with a rural life not unlike that of the archaic villages before the urban revolution at the end of Preclassic times. This division is reflected in the art. Village artisans made objects for daily use, generally of clay or other fragile materials, that enchant us with their grace, fantasy, and humor. In them usefulness and beauty were happily combined. Many magic objects belong to this type of art, transmitters of that psychic energy that the Stoics called "universal sympathy," that vital fluid that unites animate beings — men, animals, plants — with the elements, the planets, and the stars. The other art is that of the great cultures: the religious art of the theocracy and the aristocratic art of the princes. The first was almost always monumental and public; the second, ceremonial and sumptuary. Mesoamerican civilization, like so many others, did not know the pure aesthetic experience; I mean, with popular or magic art as with religious art, aesthetic pleasure did not occur in isolation but rather was combined with other experiences. Beauty was not an isolated value; in some cases it united with religious values and in others with utilitarian ones. Art was not an end in itself but rather a bridge or a talisman. Bridge: the work of art takes us from the here of now to the there of another time. Talisman: the work changes the reality we see to another; Coatlicue is the earth, the sun is a jaguar, the moon is the head of a decapitated goddess. The work of art is a medium, an agent for transmitting sacred forces and powers, *others.* Art serves to open the doors to the other side of reality.

I have spoken of beauty. This is an error. The word that describes Mesoamerican art is *expression.* It is an art that *says,* but what it says is said with such concentrated energy that the saying is always expressive. To express: to squeeze out the juice, the essence, not only of the idea but also of the form. A Mayan deity covered with attributes and signs is not a sculpture we can read like a text but a text/sculpture. Fusion of reading and contemplation, two

otros. La función del arte es abrirnos las puertas que dan al otro lado de la realidad.

He hablado de belleza. Es un error. La palabra que le conviene al arte mesoamericano es *expresión*. Es un arte que *dice* pero lo que dice lo dice con tal concentrada energía que ese decir es siempre expresivo. Expresar: exprimir el zumo, la esencia, no sólo de la idea sino de la forma. Una deidad maya cubierta de atributos y signos no es una escultura que podemos leer como un texto sino un texto/escultura. Fusión de lectura y contemplación, dos actos disociados en Occidente. La Coatlicue Mayor nos sorprende no sólo por sus dimensiones—dos metros y medio de altura y diez toneladas de peso—sino por ser un concepto petrificado. Si el concepto es terrible—la tierra, para crear, devora—la expresión que lo manifiesta es enigmática: cada atributo de la divinidad—colmillos, lengua bífida, serpientes, cráneos, manos cortadas— está representado de una manera realista pero el conjunto es una abstracción. La Coatlicue es, simultáneamente, una charada, un silogismo y una presencia que condensa un "misterio tremendo". Los atributos realistas se asocian conforme a una sintaxis sagrada y la frase que resulta es una metáfora que conjuga los tres tiempos y las cuatro direcciones. Un cubo de piedra que es asimismo un metafísica. Cierto, el peligro de este arte es la falta de humor, la pedantería del teólogo sanguinario. (Los teólogos sostienen, en todas las religiones, relaciones íntimas con los verdugos). Al mismo tiempo, ¿cómo no ver en este rigor una doble lealtad a la idea y a la materia en que se manifiesta: piedra, barro, hueso, madera, plumas, metal? La "petricidad" de la escultura mexicana que tanto admira Henry Moore es la otra cara de su no menos admirable rigor conceptual. Fusión de la materia y el sentido: la piedra dice, es idea; y la idea se vuelve piedra.

El arte mesoamericano es una lógica de las formas, las líneas y los volúmenes que es asimismo una cosmología. Nada más lejos del naturalismo grecorromano y renacentista, basado en la representación del cuerpo humano, que la concepción mesoamericana del espacio y del tiempo. Para el artista maya o zapoteca el espacio es fluido, es tiempo vuelto extensión; y el tiempo es sólido: un bloque, un cubo. Espacio que transcurre y tiempo fijo: dos extremos del movimiento cósmico. Convergencias y separaciones de ese *ballet* en el que los danzantes son astros y dioses. El movimiento es danza, la danza es juego, el juego es guerra: creación y destrucción. El hombre no ocupa el centro del juego pero es el dador de sangre, la substancia preciosa que mueve al mundo y por la que el sol sale y el maíz crece.

Paul Westheim señala la importancia de la greca escalonada, estilización de la serpiente, del zig-zag del rayo y del viento que riza la superficie del agua y hace ondular el sembrado de maíz. También es la representación del grano de maíz que desciende y asciende de la tierra como el sacerdote sube y baja las escaleras de la pirámide y como el sol trepa por el

disassociated acts in the West. The Great Coatlicue surprises us not only by its size — two-and-a-half meters in height and weighing ten tons — but because it is a stone concept. If the concept is a terrible one — the earth, to create, devours — the expression it manifests is enigmatic: each attribute of the divinity — fangs, bifurcated tongue, serpents, skulls, amputated hands —is represented realistically but the whole is an abstraction. The Coatlicue is, simultaneously, a charade, a syllogism, and a presence that condenses a "tremendous mystery." The realistic attributes relate to each other according to a sacred syntax and the resulting sentence is a metaphor that combines the three times and the four directions. A cube of stone that is a metaphysic. Certainly, the danger of this art is its lack of humor, the pedantry of the bloodthirsty theologian. (Theologians sustain, in every religion, intimate relations with butchers.) At the same time, how can one not see in this severity a double faithfulness to the idea and the material in which it manifests itself: stone, clay, bone, wood, feathers, metal. The "stoneness" of Mexican sculpture that Henry Moore so admired is the other face of its no less admirable conceptual severity. Fusion of material and meaning: the stone says, it is idea; and the idea becomes stone.

Mesoamerican art is a logic of forms, lines and volumes that are also a cosmology. Nothing is further from Greco-Roman and Renaissance naturalism, based on the representation of the human body, than the Mesoamerican conception of space and time. For the Mayan or Zapotec artist space is fluid, it is extended time; and time is solid: a block, a cube. Space that elapses and fixed time: two extremes of cosmic movement. Convergences and separations of that ballet in which the dancers are stars and gods. The movement is dance, the dance is game, the game is war: creation and destruction. Man is not at the center of the game but he is the giver of blood, the precious substance that moves the world and for which the sun rises and the maize grows.

Paul Westheim points out the importance of the stepped fret motif: stylization of the serpent, the zigzag of lightning, and of the wind that ripples the surface of water and makes the maize plants undulate. It also represents the grain of maize that descends into and ascends from the earth as the priest goes up and down the steps of the pyramid and as the sun rises in the East and sets in the West. Sign of movement, the stepped fret is the stairway of the pyramid, and the pyramid is nothing more than time turned geometry, space. The pyramid of Tenayuca has 52 serpent heads: the 52 years of the Aztec century. That of Kukulcán in Chichen Itza has nine double terraces (the 18 months of the year) and its stairway was 364 steps plus an upper platform (the 365 days of the solar calendar). In Teotihuacan each of the two stairways of the Pyramid of the Sun has 182 steps (364 plus a platform at the apex) and the temple of Quetzalcoatl exhibits 364

Oriente y se precipita por el Poniente. Signo del movimiento, la greca escalonada es la escalera de la pirámide y la pirámide no es sino tiempo vuelto geometría, espacio. La pirámide de Tenayuca tiene 52 cabezas de serpientes: los 52 años del siglo azteca. La de Kukulcán en Chichén Itzá tiene nueve terrazas dobles (los 18 meses del año) y las gradas de sus escaleras son 364 más una de la plataforma superior (los 365 días del calendario solar). En Teotihuacan las dos escaleras de la pirámide del Sol tienen cada una 182 gradas (364 más una de la plataforma en la cúspide) y el templo de Quetzalcóatl ostenta 364 fauces de serpiente. En El Tajín la pirámide tiene 364 nichos más uno escondido. Nupcias del espacio y el tiempo, representación del movimiento por una geometría pétrea. ¿Y el hombre? Es uno de los signos que el movimiento universal traza, borra, traza, borra…"El Dador de Vida", dice el poema azteca, "escribe con flores". Sus cantos sombrean y colorean a los que han de vivir. Somos seres de carne y hueso pero inconsistentes como sombras pintadas y coloreadas: "solamente en tu pintura vivimos, aquí en la tierra".

Cambio y continuidad

El arte de Nueva España y el de México independiente no necesitan una presentación extensa. Abarcan un período de cuatrocientos cincuenta años mientras que el de Mesoamérica dura tres milenios.

El siglo XVI fue el siglo de la gran destrucción y, asimismo, el de la gran construcción. Siglo conquistador y misionero pero también arquitecto y albañil: fortalezas, conventos, palacios, iglesias, capillas abiertas, hospitales, colegios, acueductos, fuentes, puentes. Fundación de cuidades, a veces sobre las ruinas de las cuidades indias. En general, la traza era la cuadriculada, con la plaza al centro, de origen romano. En los sitios montañosos se acudió a la traza mora, irregular. Trasplante de los estilos artísticos de la época pero con cierto retraso y anarquía: el mudejar, el gótico, el plateresco, el renacentista. Esta mezcla es muy hispánica y le convino perfectamente a México, tierra en la que se despliega como en ninguna la dialéctica, hecha de conjunciones y disyunciones, de los opuestos: la luz y la sombra, lo femenino y lo masculino, la vida y la muerte, el sí y el no. El siglo XVII adopta y adapta el barroco, un estilo que ha dejado en México muchas obras de verdad memorables. El barroco, combinado con un churrigueresco que exagera al de España, continúa felizmente hasta bien entrado el XVIII. Este siglo, me parece, es más rico y fecundo, en materia de arquitectura, en Nueva España que en España. La Independencia nos sorprende en pleno neoclacisismo, un estilo que no se adaptaba ni a la tradición mexicana ni al momento que vivía el país. El último testimonio sobre la cuidad de México es de Humboldt. La llama "la cuidad de los palacios." El elogio era exagerado pero contenía un adarme de verdad: Boston era en aquellos años una aldea grande.

El arte de Nueva España comenzó por ser un arte

serpent heads. The pyramid of El Tajín has 364 niches plus a hidden one. Wedding of space and time, representation of movement by a frozen geometry. And man? He is one of the signs that the universal movement draws, erases, draws, erases…"The Giver of Life," says the Aztec poem, "writes with flowers." His songs shade and color those who must live. We are beings of flesh and blood but unsubstantial as painted and colored shadows: "only in your painting do we live, here on earth."

Change and Continuity

The art of New Spain and independent Mexico does not require an extended presentation. It spans a period of 450 years while the art of Mesoamerica lasted three millennia.

The 16th century was the century of great destruction and, at the same time, that of great construction. Century of the conquistador and the missionary but also of the architect and mason: fortresses, convents, palaces, churches, open chapels, hospitals, schools, aqueducts, fountains, bridges. Foundation of cities, at times over the ruins of Indian cities. In general the plan was square, with a central plaza, of Roman origin. In mountainous sites the Moorish plan was resorted to, an asymmetrical one. Transplantation of artistic styles of the epoch, but with a certain delay and anarchy: Moorish, Gothic, Plateresque, Renaissance, this mixture is very Hispanic and it suited Mexico perfectly; land where the dialectic unfolded as in no other, made of conjunctions and disjunctions, of opposites; light and shade, feminine and masculine, life and death, yes and no. The 17th century adopts and adapts the Baroque, a style that left many truly memorable works in Mexico. The Baroque, combined with a Churrigueresque that exaggerated that of Spain, continued well into the 18th century. This century, it seems to me, is richer and more fecund in architectural material in New Spain than in Spain. The Independence surprises us in full Neoclassicism, a style that neither adapted itself to the Mexican tradition nor to the moment in which the country was living. The final testimony on the city of Mexico is Humboldt's. He calls it "the city of palaces." The praise was exaggerated but it contained a grain of truth: Boston in those years was a large village.

The art of New Spain began as a transplanted art. Soon it acquired characteristics of its own. Inspired by Spanish models, the artists of New Spain were probably the most Hispanizing of the entire continent; at the same time there is something in their work, difficult to define, that does not appear in their models. The Indian? No. Better, a kind of deviation from the Spanish archetype, whether by exaggeration or irony, by too precious craftsmanship or by an unaccustomed turn of fantasy. The will of style breaks the norm by emphasizing the line or complicating the drawing. The art of New Spain shows a desire to go beyond the model; the *criollo* feels himself deficient: he is only an aspiration to be and he only comes to be when he has

transplantado. Pronto adquirió características propias. Inspirados en los modelos españoles, los artistas novohispanos fueron probablemente los más españolizantes de todo el continente; al mismo tiempo, hay algo en sus obras, difícilmente definible, que no aparece en sus modelos. ¿Lo indio? No. Más bien una suerte de desviación del arquetipo hispánico, ya sea por exageración o por ironía, por la factura cuidadosa o por el giro insólito de la fantasía. La voluntad de estilo rompe la norma al subrayar la línea o complicar el dibujo. El arte de Nueva España delata un deseo de ir más allá del modelo. El criollo se siente como carencia: no es sino una aspiración a ser y sólo llega a ser cuando ha tocado los extremos. De ahí sus oscilaciones psíquicas, sus entusiasmos y sus letargos, su amor a las formas que le dan seguridad y decoro y su amor a distender y complicar esas mismas formas hasta dislocarlas.

Nueva España produjo una muy decorosa pintura, aunque inferior a la de España, una excelente escultura y una arquitectura realmente extraordinaria. Una civilización no es solamente un conjunto de técnicas. Tampoco es una visión del mundo: es un mundo. Un todo: utensilios, obras, instituciones, colectividades e individuos regidos por un orden. Las dos manifestaciones más perfectas de ese orden son la ciudad y el lenguaje. Por sus ciudades y por sus obras poéticas Nueva España fue una civilización. En el dominio del lenguaje se observa el mismo fenómeno que en el de la arquitectura: un cierto *décalage* entre el tiempo de Europa y el de México. Esta diferencia no siempre fue desafortunada. Por ejemplo, la decadencia de la poesía barroca en España, a fines del siglo XVII, coincide con el apogeo en México de la misma manera: a la *Soledades* de Góngora, el poema central del XVII en España, corresponde — o, más bien, responde — cincuenta años más tarde el *Primero Sueño* de Sor Juana Inés de la Cruz. ¿La obra de la monja mexicana representa un fin o un comienzo? Desde el punto de vista de la historia de los estilos, con ella acaba una gran época de la poesía de nuestra lengua; desde la perspectiva de la historia del espíritu humano, con ella comienza algo que todavía no termina: el feminismo. Fue la primera mujer de nuestra cultura que no sólo tuvo conciencia de ser mujer y escritora sino que defendió su derecho a serlo. Sería apasionante emprender un estudio comparativo de las dos grandes figuras femeninas de América durante el período colonial: Juana Inés de la Cruz, la Décima Musa mexicana, y Anne Bradstreet, la Décima Musa norteamericana. El contraste entre la arquitectura de la ciudad de México y la de Boston — una monumental, complicada y ricamente ornamental como una fiesta barroca y la otra simple, desnuda y entre utilitaria y ascética—se reproduce en las obras de estas dos notables mujeres.

El siglo XIX fue un siglo de luchas, invasiones, desgarramientos, mutilaciones y búsquedas. Una época desdichada, como en España y en la mayoría de

touched the extreme. From these his pyschic oscillations, his enthusiasm and his lethargies, his love for the forms that offer him security and decorum, and his love for distorting and complicating these very forms to the point of dislocating them.

New Spain produced a very decorous painting, although inferior to that of Spain, an excellent sculpture, and a really extraordinary architecture. A civilization is not only an aggregate of techniques. Nor is it a vision of the world: it is a world. A whole: utensils, works, institutions, collectivities, and individuals ruled by an order. The two most perfect manifestations of that order are the city and language. In its cities and its poetic works New Spain was a civilization. In the realm of language one observes the same phenomenon as in architecture: a certain *décalage* between the time in Europe and that in Mexico. This difference was not always unfortunate. For example, the decadence of Baroque poetry in Spain, at the end of the 17th century, coincides with its apogee in Mexico: the *Primero Sueño* of Sor Juana Inés de la Cruz corresponds — or, better, responds — years later to the *Soledades* of Góngora, the central poem of 17th-century Spain. Does the work of the Mexican nun represent an end or a beginning? From the view point of the history of style, a great epoch of poetry in our language ends with her; from the perspective of the history of the human spirit, something that has not yet ended begins with her: feminism. She was the first woman in our culture who was not only conscious of being a woman and a writer, but who defended her right to be both. It would be fascinating to undertake a comparative study of the two great feminine figures in America during the Colonial period: Juana Inés de la Cruz, the Tenth Mexican Muse, and Anne Bradstreet, the Tenth North American Muse. The contrast between the architecture of the city of Mexico and that of Boston —one monumental, complicated, and as richly ornamental as a Baroque festival and the other simple, naked, between ascetic and utilitarian — is reproduced in the works of these two notable women.

The 19th century was a century of struggles, invasions, painful losses, mutilations, and searches. A wretched epoch, as it was in Spain and in most of the countries in our culture. Finally, a great artist emerges: José Guadalupe Posada. In the prologue of his *Anthology of Black Humor*, André Breton observes that humor does not appear in the visual art traditions of the West, except in the work of Goya and Hogarth. And he adds: "The triumph of humor in its pure and full state, in the plastic realm, must be dated closer to our time and must recognize as its first genial artisan the Mexican artist José Guadalupe Posada...." Further on, Breton does not hesitate to compare the wood engravings of Posada, in black and white, to certain surrealist works, especially to the "Collages" of Max Ernst. I add that with Posada not only does humor in modern art begin, but also the Mexican

los pueblos de nuestra cultura. Al final, surge un gran artista: José Guadalupe Posada. En el prólogo a su *Antología del Humor Negro,* André Breton observa que el humor, salvo en la obra de Goya y de Hogarth, no aparece en la tradición de las artes visuales de Occidente. Y agrega: "El triunfo del humor al estado puro y pleno, en el dominio de la plástica, debe situarse en una fecha más próxima a nosotros y reconocer como a su primer y genial artesano al artista mexicano José Guadalupe Posada..." Más adelante Breton no vacila en comparar los grabados en madera de Posada, en blanco y negro, a ciertas obras surrealistas, especialmente a los "collages" de Max Ernst. Añado que con Posada no sólo comienza el humor en las artes plásticas modernas sino también el movimiento pictórico mexicano. A pesar de que murió en 1913, Diego Rivera y José Clemente Orozco lo consideraron siempre no como un precursor sino como un contemporáneo suyo. Tenían razón. Me atreveré a decir que incluso Posada me parece más moderno que ellos. Entre los pintores mexicanos, José Clemente Orozco es el más cercano a Posada; pero en Orozco el humor negro de Posada se transforma en sarcasmo, es decir, en idea. Y la idea, la carga ideológica y didáctica, es el obstáculo que se interpone con frecuencia entre el espectador moderno y la pintura de Rivera, Orozco y Siqueiros. Sobre esto hay que repetir, una vez más, que la pintura no es la ideología que la recubre sino las formas y colores con que el pintor, muchas veces involuntariamente, se descubre y nos descubre su mundo.

La pintura mexicana moderna es el resultado de la confluencia, como en el caso del descubrimiento del arte prehispánico, de dos revoluciones: la social de México y la artística de Occidente. Rivera participó en el movimiento cubista, Siqueiros se interesó en los experimentos futuristas y Orozco presenta más de una afinidad con los expresionistas. Al mismo tiempo, los tres vivieron intensamente los episodios revolucionarios y sus secuelas. Rivera y Siqueiros fueron hombres de partido con programas y esquemas estéticos y políticos; Orozco, más libre y puro, anarquista y conservador a un tiempo, solitario, fue un verdadero rebelde. A pesar de que gran parte de la obra de estos tres pintores es un comentario plástico de nuestra historia y especialmente de la Revolución Mexicana, su importancia no reside en sus opiniones y actitudes políticas. La obra misma, en los tres casos—aunque con diferencias capitales entre ellos — es notable por su energía plástica y su diversidad. Tres pintores poderosos, inconfundibles, desiguales.

En su momento, los tres ejercieron una gran influencia, dentro y fuera de México. Por ejemplo, la presencia de Siqueiros es visible en las primeras obras de Pollock y la de Orozco en el Tobey de los comienzos. El escultor y pintor Noguchi fue ayudante y colaborador de Rivera durante algún tiempo. La lista podría alargarse. Está todavía por escribirse el capítulo de la influencia de los pintores mexicanos sobre los norteamericanos antes de que éstos abrazasen el mural movement. Despite the fact that he died in 1913, Diego Rivera and José Clemente Orozco have always considered him not a precursor but a contemporary. They were right. I shall dare to say that Posada seems to me more modern than they are. Among the Mexican painters, José Clemente Orozco is closest to Posada; but in Orozco the black humor of Posada is transformed into sarcasm, that is, into idea. And the idea, the ideological and didactic burden, is the obstacle that frequently puts itself between the modern viewer and the painting of Rivera, Orozco, and Siqueiros. On this subject it must be repeated, once more, that painting is not ideology, but the forms and colors by which the painter, often involuntarily, discovers himself and reveals his world to us.

Modern Mexican painting is the result of the confluence, as in the case of the discovery of Prehispanic art, of two revolutions: the social revolution of Mexico and the artistic revolution of the West. Rivera participated in the Cubist movement, Siqueiros interested himself in the Futurist experiment, and Orozco displayed an affinity for the Expressionists. At the same time, the three intensely experienced the events of the Revolution and its aftermath. Rivera and Siqueiros were party men with programs and with aesthetic and political schemes; Orozco, freer and purer, at once anarchist and conservative, solitary, was a true rebel. Despite the fact that a great part of the work of these three painters is a plastic commentary on our history and especially on the Mexican Revolution, their importance does not rest on their opinions and political attitudes. The work itself in all three cases —although there are essential differences between them — is notable for its plastic energy and its diversity. Three powerful painters, unmistakable, unequal.

In their moment these three exercised a great influence, within and outside of Mexico. For example, the presence of Siqueiros can be seen in the first works of Pollock and that of Orozco in the early Tobey. The sculptor and painter Noguchi was Rivera's assistant and collaborator for a time. The list could be lengthened. The chapter is still to be written on the influence of the Mexican painters on North American painters before "Abstract Expressionism." At the same time, the work of the three is tied to modern Mexican history and in this interdependence with events one finds, contradictorily, its greatness and its limitation. They incarnate the two central moments of the Mexican Revolution: the return to origins and the rediscovery of a humiliated and offended Mexico; and, in Orozco above all, disillusion, sarcasm, denunciation — and the search. Mexican painting, it is clear, does not end with them. They are its beginning, its immediate past. The next period begins with Rufino Tamayo and others of the same generation.

The tradition of popular art — another vague term — is very ancient in Mexico, going back to the Neolithic period, a truly impressive continuity. In New

"expresionismo abstracto". Al mismo tiempo la obra de los tres está unida a la historia moderna de México y en esta dependencia del acontecimiento se encuentra, contradictoriamente, su grandeza y su limitación. Encarnan los dos momentos centrales de la Revolución Mexicana: la vuelta a los orígenes, el redescubrimiento del México humillado y ofendido; y, en Orozco sobre todo, la desilusión, el sarcasmo, la denuncia—y la búsqueda. La pintura mexicana, claro está, no termina con ellos. Son su comienzo, su pasado inmediato. Entre 1925 y 1930, con Rufino Tamayo y otros pocos más, se inicia otra pintura, la actual.

La tradición del arte popular—otra denominación vaga—es muy antigua en México y remonta al neolítico. Una continuidad de verdad impresionante. En el período novohispano los artesanos mexicanos, después de haber adoptado las formas y motivos importados de España, recibieron influencias orientales: chinas, filipinas y aun de la India. El arte popular del siglo XIX, como el de nuestros días, es el resultado del cruce de todos estos estilos, épocas y civilizaciones. En el arte popular de México, como en los grabados de Posada, lo familiar se alía a lo fantástico, la utilidad se funde con el humor. Esos objetos son utensilios y son metáforas. Fueron hechos hoy mismo por artesanos anónimos que son, simultáneamente, nuestros contemporáneos y los de los artistas de las aldeas precolombinas. En verdad, esos objetos no son ni antiguos ni modernos: son un presente sin fechas.

Octavio Paz

Spain, Mexican artisans, after adopting forms and motifs imported from Spain, received Oriental influences: Chinese, Philippine, and even Indian. Popular art of the 19th century, like that of our day, is a result of the crossing of all these styles, epochs, and civilizations. In the popular art of Mexico, as in the engravings of Posada, the familiar allies with the fantastic, utility merges with humor. These objects are utensils and they are metaphors. They are made today by anonymous craftsmen who are, simultaneously, our contemporaries and those of the artists of Precolumbian villages. In truth, these objects are neither ancient nor modern; they are an undated present.

Octavio Paz

Color Illustrations

Ilustraciones a Color

8
Inlaid Mask   *Teotihuacan*
Máscara en Piedra

17
Coyote Jar   *Toltec*
Vasija Zoomorfa

40
Pectoral *Mixtec*
Peto

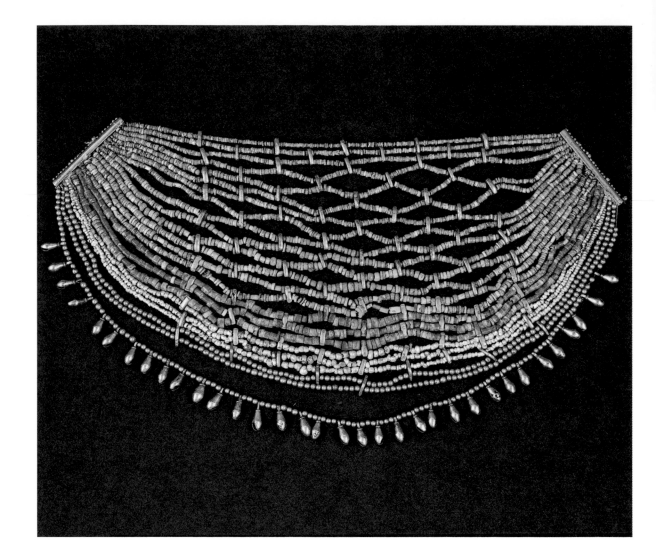

42
"The Wrestler"   *Olmec*
"El Luchador"

67
Standing Lady *Maya*
Figurilla Femenina

69
Ball Player *Maya*
Jugador de Pelota

79
A Pair of Ducks *Colima*
Vasija de Dos Patos

85
Reclining Dog *Colima*
Vasija en Forma de Perro Recostado

33

109
Saint Catherine Martyr   *Juan Correa*
Santa Catalina

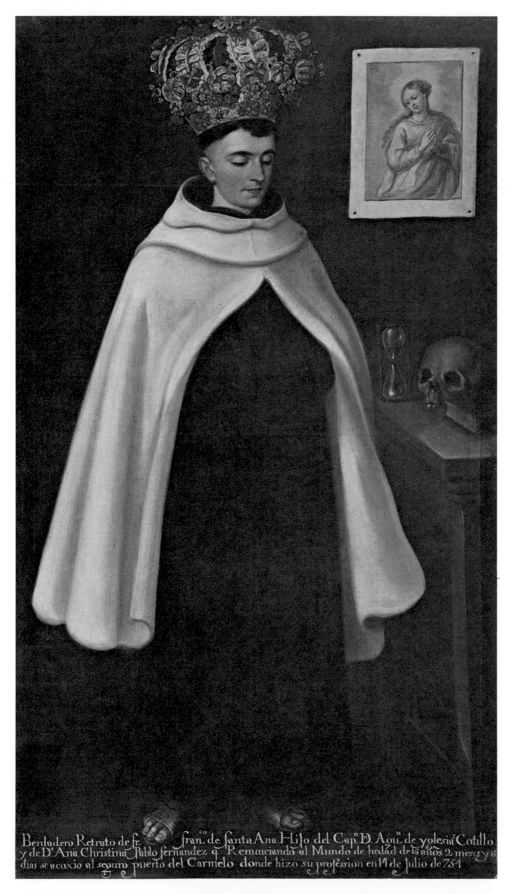

Berdadero Retrato de fr. ᶜᵒ fran.ᵃ de Santa Ana Hijo del Capⁿ D. Aouⁿ de yolesiu Cotillo y de Dⁿ Ana Christina Pablo fernandez q. Renunciando al Mundo de hedad de 18 años 2 mes y 6 dias se acoxio al seguro puerto del Carmelo donde hizo su profession en 14 de Julio de 754

125
Doña María Luisa Gonzaga Foncerrada Labarrieta   *José María Vázquez*

127
Portrait of the Child Manuela Gutiérrez   *José María Estrada*
Retrato de la Niña Manuela Gutiérrez

Manuela Gutierrez, retratada de un año y cuatro meses de edad el 4 de Octubre de 1838.

The Sculptors Pérez and Valero   *Juan Cordero*
Retrato de los Escultores Pérez y Valero

139
A Cavalcade near Mexico City   *José María Velasco*
Un Paseo por los Alrededores de Mexíco

A Cavalcade near Mexico City   *José María Velasco*
Un Paseo por los Alrededores de Mexíco

158
Combat   *José Clemente Orozco*
Combate

169
The Tyrant   *José Clemente Orozco*
El Tirano

176
Portrait of a Poet *Diego Rivera*
Retrato de un Poeta

177
The Miller *Diego Rivera*
La Molendera

184
The Two Fridas   *Frida Kahlo*
Las Dos Fridas

Image of Modern Man   *David Alfaro Siqueiros*
Nuestra Imagen Actual

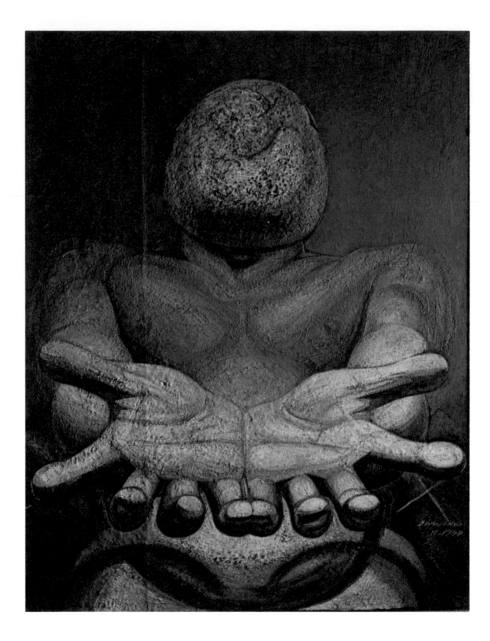

Prehispanic Art

Arte Prehispánico

Introducción al Arte Prehispánico de México.

El arte prehispánico de México es el producto de una civilización bien definida en el espacio y en el tiempo: la Mesoamericana. Esta se extendió sobre casi todo el actual territorio mexicano y parte de América Central. Su duración fue de más de tres milenios. Correspondió al nivel de una cultura que, pese a una tecnología inferior a la de las grandes civilizaciones antiguas del viejo mundo, logró igualarlas en conocimientos científicos, logros intelectuales y muy especialmente en manifestaciones estéticas.

Pero si por una parte la cultura mesoamericana, por sus características propias, integra una unidad diferenciada del resto de las culturas de nuestro continente, por otra parte ofrece una rica variedad regional, determinada por distintos factores ambientales, históricos, sociopolíticos y culturales. De allí la pluralidad temática y estilística del arte de Mesoamérica, dentro de un mismo marco conceptual.

Toda la cosmovisión de los pueblos mesoamericanos se encuentra presente en su arte. Los dioses pueden aparecer bajo su representación antropomorfa, zoomorfa o simbólica, esculpidos en piedra, modelados en estuco o barro, pintados sobre muros, vasijas o códices; grabados en jade. Su imagen puede estar independiente o asociada con otras figuras en una escena mitológica o como motivo central de una ceremonia ritual.

Los cuerpos celestes, que revelan con sus ciclos el ritmo cósmico que todo lo anima, están interpretados por el artista como entes humanos o animales, dentro de un contexto cosmogónico. Las creencias en remotas épocas que vieron surgir y desaparecer sucesivas humanidades, se plasman en composiciones simbólicas.

El fenómeno de la vida y la muerte de todos los seres obsesiona la mente del artista que lo representa en síntesis de monumental plasticidad, como la Coatlicue; en sencilla alusión al brotar conjunto de plantas y hombres, en los relieves laterales del sarcófago palencano; o como en la lápida que cubre dicho sarcófago mediante una genial composición del hombre atrapado por la muerte, con la mirada esperanzada fija en el motivo cruciforme, símbolo de resurrección, ya que es la planta de maíz con cuya masa fue formado su cuerpo.

El arte prehispánico está impregnado de la visión mítica con que la religión explicaba el universo, pero en la sociedad de donde nació, la élite que controlaba la creación artística y se beneficiaba con ella, reunía a la vez los poderes sacerdotales y civiles; representaba a los dioses, interpretaba sus designios, transmitía sus órdenes, y al mismo tiempo gobernaba en nombre de ellos, imponía su autoridad y su explotación como clase dominante.

Esta situación explica el carácter a la vez religioso y laico del arte prehispánico, su función de alimentar la

Introduction to the Prehispanic Art of Mexico

Mexican Prehispanic art is the product of a civilization well defined in time and space. Called Mesoamerican, it extended over most of present day Mexico and part of Central America and lasted actively for more than 3,000 years. Although it generally had a lower level of technology than the great civilizations of the Old World, it equalled them in certain branches of science and intellectual development, particularly the arts.

If, as a whole, Mesoamerican culture presents a unity that sharply differentiates it from other cultures of this continent, in detail it shows a rich variety of regional forms, determined by local variations in socio-political, historical, and cultural background. From these arises a thematic and stylistic plurality which nevertheless always remains inside a unique conceptual frame.

In the Mesoamerican view of the universe the gods may appear in human, animal, or abstract symbolic form: modeled in stucco or clay, sculptured in stone, engraved in jade, or painted on walls, vessels, and codices. Images may be independent or associated with others to form mythological scenes or ritual ceremonies in which the gods are the focal point.

Celestial bodies, their cycles revealing the all-pervading cosmic rhythm, were also interpreted by the artists as human or animal beings. The belief that remote eons saw the rise and extinction of creations in different forms is also present in certain symbolic compositions.

The phenomenon of the life and death of all living forms obsessed the artists who represented it, as much in the monumental plasticity of the Coatlicue as in the simple allusion we find on the lateral bas-reliefs of the Palenque sarcophagus: human heads and plants sprouting simultaneously; or even, as can be seen on the cover of the same sarcophagus in masterly composition, a man trapped by death gazes hopefully at a cruciform motif which is the symbol of resurrection, because it is the maize plant, and the body of man was made by the gods out of maize dough.

Prehispanic art is permeated by the mystic vision used by religion to explain the universe: but, in the society in which this religion was born, an elite controlled artistic creation and was benefitted by it. This elite contained in itself religious and secular powers. It represented the gods, interpreted their decrees, and transmitted their orders, governing in their name. So the elite imposed its authority and exploited as a dominant class.

This situation explains the character of Prehispanic art. It was at the same time both secular and religious. Its function was to feed the faith of the believers and to exalt, before the subjects, the image and the feats of the controlling aristocracy. The same spirit inspired the *mexica "tlatoani"* (lord) Tizoc, when he immortalized

fe de los fieles y de exaltar ante los súbditos la figura y las hazañas de la artistocracia dirigente. Un mismo espíritu inspiró al *tlatoani* mexica Tizoc para que se eternizaran sus victorias en un bloque monumental, y al *Halach Uinic* maya, Pájaro-Jaguar, cuando éste ordenó que se esculpiera su triunfo sobre un enemigo, en un dintel de Yaxchilán.

Esta dualidad se refleja no sólo en la temática sino también en el estilo. Lo religioso se expresaba generalmente a través del símbolo, de la estilización de rasgos reales o imaginarios, de la forma hierática, de signos geométricos. Lo laico solía manifestarse en la búsqueda de un mayor realismo, mediante la expresión naturalista, el dinamismo en la composición, el énfasis en la figura del hombre.

El arte prehispánico cumplió debidamente su doble función: confirmar al pueblo, para su mayor tranquilidad, que su vida formaba parte de un sistema cósmico perfectamente ordenado, de cuya marcha se encargaban los dioses a través de sus intermediarios, los sacerdotes; y reforzar el poder de los gobernantes religiosos y civiles, para asegurar mediante la sumisión de la población, la continuidad de un régimen del cual eran ellos los beneficiarios.

El hombre mesoamericano, con un utilaje rudimentario, supo transformar la piedra, los minerales semifinos, el barro, el estuco, los pigmentos minerales y vegetales, la madera, los textiles, y los metales en una época tardía, en obras maestras de arte que se equiparan a las mejores de la antigüedad universal y que provocan la admiración del hombre moderno.

Alberto Ruz Lhuillier

his victories on a monumental block of stone, and the Maya again in "Halach Uinic" (high priest) Bird-jaguar, when he ordered his triumph over an enemy sculptured on the underside of a lintel at Yaxchilan.

This duality manifests itself not only in the subject matter of art but also in its style. Religious themes were normally represented by symbols: by drastic stylizations of real or imaginary characteristics of the hieratical forms, or even by geometric designs. Oppositely, secular themes were given a more naturalistic expression, with more dynamic composition and a decided emphasis on the human form.

Prehispanic art adequately fulfilled its double function: to soothe the population with the belief that its life was an integral part of a perfect cosmic order whose march was regulated by the gods through their intermediaries, the priests; and to reinforce the power of civil and religious rulers in order to ensure, through the submission of the people, the continuity of a regime that was so profitable for the ruling class.

Mesoamerican man with rudimentary tools knew how to transform stone, semi-precious gems, clay, stucco, mineral and vegetable pigments, wood, textile fibers, and in later times metals, into masterpieces of art which can compare with the best produced by ancient man in the rest of the world, and inspire admiration in modern man.

Alberto Ruz Lhuillier

El Arte Preclásico del Altiplano Central

Hace 4000 años algunos grupos de cazadores-recolectores que tenían una vida seminómada, fueron estableciéndose paulatinamente en un solo lugar, pasando a ser sedentarios, al fundar los primeros caseríos y aldeas.

La sedentarización, junto con el inicio de la alfarería y la agricultura, son los factores primordiales para el comienzo de una etapa llamada Preclásico o de las Aldeas. No por ésto se abandonaron las formas de adquisición de alimentos de épocas anteriores como son la pesca, la caza y la recolección sino, por el contrario, siguieron siendo muy importantes.

Fueron individuos de mediana estatura, braquicéfalos, que ya desde antes de establecerse permanentemente en aldeas, practicaban la deformación craneana, aplicada a muy temprana edad; la mutilación dentaria y la incrustación de diferentes materiales como pirita, jadeita y turquesa en los dientes, con fines rituales.

Durante el Preclásico, que ocurrió entre 2000 y 100 A.C. aproximadamente, se gestaron las formas de vida, producción, organización social e ideología que posteriormente cristalizaron en el período llamado Clásico o de los Estados Teocráticos.

Estos pueblos agricultores plasmaron en la arcilla sus primeras ideas magicorreligiosas en millares de figurillas, delicadas y graciosas, la cuales, junto con la gran variedad de vasijas, aunan el pleno dominio de las técnicas alfareras con el inicio del arte en Mesoamerica.

El Arte Clásico del Altiplano Central: Teotihuacan

Entre 200 A.C. y 700 D.C. en el Valle de México se desarrolló el primer gran centro urbano de América, una ciudad sagrada donde se concentraron las actividades más importantes religiosas, políticas y económicas.

En esta ciudad el arte tomó diferentes formas entre las que sobresalen la arquitectura, la pintura mural, la cerámica y la lapidaria. En estas manifestaciones el artista plasma diversos mitos, a través de un lenguaje simbólico, que explica los misterios del universo. La monumentalidad de su arquitectura religiosa y su decoración refleja la fuerza del espíritu místico que debió normar la vida cotidiana, no sólo de sus habitantes sino de poblaciones circunvecinas.

Como centro económico recibió la afluencia de comerciantes del mundo conocido de ese entonces. Controló tanto el mercado de piedras preciosas como el de materias primas para manufacturar instrumentos para la producción. Los elementos básicos para la alimentación eran concentrados y redistribuidos desde esta gran metrópoli.

El poder económico de Teotihuacan y la concentración de población, provocaron la necesidad de una

Preclassic Art of the Central Plateau

Some 4,000 years ago groups of hunters and gatherers, who until that time had lived a seminomadic life, slowly began to establish themselves in fixed locations, becoming sedentary and founding the first hamlets. This settling down process, together with the first attempts at pottery and agriculture, were the primary factors which determined the beginning of the stage we call Preclassic or "of the hamlets". This does not mean that previous ways of acquiring food — hunting, fishing, and gathering — were instantly abandoned, for these means persisted as important factors for a long time.

These people were of medium height, brachycephalic, and, even before they acquired a sedentary way of life, had practices of ritual significance. These included cranial deformation — applied to babies at a very early age — and dental mutilation, often complemented by inlaying the surface of the teeth with pyrite, jadeite, or turquoise disks.

This Preclassic period, which extended from approximately 2,000 B.C. to 100 A.D., saw the generation of the main forms of life production, social organization, and ideologies which later, during the so-called Classic period, crystalized into the theocratic states.

These agricultural people translated their earliest magico-religious ideas into thousands of gracious, delicate clay figurines which, together with a great variety of ceramic vessels, bound the technical proficiency of potters to the birth of Mesoamerican art.

Classic Art of the Central Plateau: Teotihuacan

The first urban center in America developed in the Valley of Mexico between 200 B.C. and 700 A.D. Teotihuacan was a sacred city, the focal point for all important religious, political, and economic activities. Here, art began to enter into the daily activities of life, extending to ceramics, architecture, stone work, and mural painting. Through these manifestations, the artist tried to give substance to myths, and in symbolic language, to explain the mysteries of the universe. The monumentality of the religious architecture and decoration reflects the strength of the mystic spirit which permeated daily life in Teotihuacan.

This city was the affluent economic center of merchants from the entire known world of that time, controlling not only the marketing of precious stones, but of all the basic materials for the manufacture of instruments for production. It was to this great metropolis that all food supplies came for redistribution.

The economic power of Teotihuacan, together with the tremendous concentration of population, resulted

planeación que resolviera los problemas inherentes a una ciudad en crecimiento, como los servicios públicos: calles, drenajes, mercados, plazas, etc.

La ciudad de Teotihuacan fue abandonada, sin que se pueda afirmar cual fue la causa; sin embargo la monumentalidad de sus construcciones y su importancia en el desarrollo del Altiplano Central, hacen que esta ciudad pase a la historia del México prehispánico como el "Lugar de los Dioses".

El Arte en el Postclásico Temprano

Cuando el mundo clásico se desintegró hacia el siglo IX D. C., grupos norteños irrumpieron en el altiplano mexicano, renovando con su presencia vigorosa, el proceso cultural mesoamericano, iniciándose la etapa de los Estados Militaristas.

Algunos de los centros con fuertes tradiciones teotihuacanas subsistieron y florecieron, como fuéron los casos de Cholula, Puebla y Xochicalco, Morelos. En ellos se conservó la vieja cultura teotihuacana y se enriqueció con nuevas corrientes procedentes de las zonas de Oaxaca y del área maya, plasmando sus conocimientos calendáricos y religiosos tanto en magníficas estelas como en edificios. Ejemplo de éstos últimos es el conocido como de las Serpientes Emplumadas.

En la zona lacustre se establicieron grupos norteños guiados por el mítico Mixcoatl, quien inició desde ahí sus campañas conquistadoras; de su unión con una princesa tlahuica, nació Ce Acatl Topiltzin, quien fue el fundador de Tula, Hidalgo, capital de los toltecas. Su reinado se distinguió por ser una época de paz y prosperidad, en la que florecieron las artes. Siendo sacerdote de Quetzalcóatl (Serpiente Emplumada), durante su reinado esta deidad celeste fue una de las más venerada del panteón mesoamericano.

En el arte escultórico y cerámico de esta época, destaca la exaltación a la nueva clase militar, que domina las sociedades, siendo abundantes las representaciones de guerreros en esculturas, relieves, arte cerámico, etc.

Los Mexicas

Hacia el siglo XIII de nuestra era, grupos de inmigrantes, irrumpen en el Valle de México. Uno de estos pueblos fue el de los mexicas, que fundó su ciudad capital en unos islotes que se encontraban al oriente del lago de Texcoco. La nombraron Tenochtitlan, por que en el sitio elegido habia un águila parada en un nopal con tunas, devorando una serpiente.

Con el tiempo Mexico-Tenochtitlán se convertiría en la capital de un imperio fabuloso que maravilló a los europeos a su llegada a nuestro país, ellos compararon su magnificencia con Sevilla, Venecia y otras capitales del Viejo Mundo.

El mundo mesoaméricano habia evolucionado

in the absolute necessity for city planning in all its aspects to solve the problems inherent in an expanding city: control of public services, streets, sewers, markets, plazas, etc.

Though Teotihuacan was abandoned for reasons that to this date remain unknown, the monumentality of its construction and the tremendous importance it exerted in the development of the central plateau caused this city to be known, even to Prehispanic peoples of the latest period, as the "City of the Gods."

Art in the Early Postclassic Period

As the Classic world disintegrated, around the 9th century A.D., northern groups arrived in the high plateau, activating Mesoamerican cultural evolution with their vigorous presence. The epoch of military states began.

Some cultural centers with strong Teotihuacan traditions continued to flourish for a time, such as Cholula in Puebla and Xochicalco in Morelos. In these areas, Teotihuacan culture was enriched by new currents from the Oaxaca and Mayan regions. They incorporated their calendrical and religious concepts into their architecture; the famous Feathered Serpents Pyramid in Xochicalco was the best example of this kind.

In the lake zone northern groups led by the mythical Mixcoatl (Serpent Cloud — Milky Way) settled; and from there he initiated his campaigns of conquest. From the union of Mixcoatl with a Tlahuica princess Ce Acatl Topiltzin was born (1-Reed Prince), the founder of Tula, Hidalgo, capital of the Toltecs. His reign was distinguished by an epoch of peace and prosperity in which the arts and crafts flourished. He was also the high priest of Quetzalcoatl (Feathered Serpent), the most revered deity in the Mesoamerican pantheon at that time.

The presence of the military, who dominated most social and economic activities, is evident in all artistic manifestations of this period. Representations of warriors are abundant in sculpture, bas relief, and ceramic vessels.

The Mexica

At the approach of the 13th century A.D., migrating groups appeared in the valley of Mexico, among them the Mexica. This people founded their capital city on the sandy banks of the eastern shore of Lake Texcoco, naming it Tenochtitlan (Nopal cactus on a stone). The name had literal meaning, for at that spot they had come upon an eagle perched on a Nopal cactus devouring a snake - an event that had been predicted by their priests who declared that it would signal the site for the new city.

Tenochtitlan developed into a metropolis, hub of a very extensive empire. When the Europeans arrived in

durante siglos hasta llegar a este pueblo que fue el ejemplo más notable del militarismo expansionista.

Se ha calculado que la población que habitaba la ciudad era de 250 mil personas aproximadamente. Esta gente se organizó en dos clases sociales: los campesinos, que eran la mayoría, vivían con austeridad y bríndaban la fuerza de trabajo necesario; los nobles constituían el otro segmento de la sociedad, a ellos correspondía la dirección del grupo; orgullosos de sus riquezas las mostraban en las fastuosas ceremonias, esta nobleza impulsó el expansionismo guerrero de Tenochtitlan, estableciendo un estricto escalafón militar que llevó a la grandeza al estado mexicano.

La religión mexica era eminentemente politeista; en ella se mezclaban dioses creadores como Quetzal-cóatl, agrícolas como Xilonen y guerreros como Huitzilopochtli y Tezcatlipoca. Los guerreros justi-ficaban sus conquistas aduciendo que el Sol necesitaba alimentarse con la sangre y los corazones de los prisioneros de guerra.

El arte mexica es fiel representante de la ideología de este pueblo. Así reprodujeron los animales propios de su medio ambiente, serpientes, monos, coyotes, etc., se retrataron a sí mismos, con sus rasgos físicos caracte-risticos y plasmaron las imagenes de sus deidades; con un gran cariño por aquellos que les daban los man-tenimientos y la alegria, el maíz y las flores y con gran respeto y acaso terror por los dioses guerreros y de la muerte.

La grandeza de este fastuoso imperio del Sol terminó bruscamente con la conquista española en 1521 D.C.

Las Culturas de Oaxaca

Principalmente debido a su estructura geográfica, la región de Oaxaca tuvo, durante gran parte de su historia, un desarrollo relativamente independiente del resto de Mesoamérica. Esto propició la creación de obras de arte tan propias que es facilísimo reconocerlas. Parece ser que desde el preclásico existían allí dos razas muy diferentes entre sí: la zapoteca y la mixteca: diferían mucho en idioma, costumbres y realización artística. Siempre estuvieron en lucha más o menos intensa. Al principio dominaron los zapotecas, pero luego, desde muy a fines del clásico, empezó la dominación mixteca que más tarde no sólo controló la región Oaxaqueña, sino que, sobre todo como influencia cultural, trascendió estos limites y llegó hasta el Altiplano Central, hacia el norte y, casi de océano a océano, de Oriente a Poniente.

Los zapotecas, en un principio, tuvieron segu-ramente contacto con los olmecas. Su arte conservó siempre huella de esta influencia. Fueron grandes constructores, dejándonos, p. ej. el famoso sitio de Monte Albán, que parece ser fue su capital; Zaachila, Dainxú y otros sitios que poco a poco se van des-cubriendo. La cerámica zapoteca es de superior calidad: es de grano fino y está quemada a alta temper-

the valley of Mexico, they marveled at its magnificence, comparing it to Seville, Venice, and other Old World capitals.

Over the centuries, Mesoamerica developed into a notable example of military expansionism. It is estimated that Tenochtitlan was inhabited by some 250,000 persons who were organized into social classes. The peasants, in the majority and the primary work force, lived in austerity. The nobility ruled and proudly displayed their riches in ostentatious ceremonies. From this group came the impulse for military expansionism and the establishment of the very strict military hierarchy which led to the greatness of the Mexican state.

Eminently polytheistic, Mexican religion encompassed creator gods like Quetzalcoatl, agricultural gods like Xilonen, and war gods like Huitzilopochtli and Tezcatlipoca. Warriors justified their conquests with the claim that the sun needed to be fed continually with the hearts and blood of prisoners of war.

The art of the Mexica faithfully represented their world and ideologies. They realistically depicted the animals of their environment — snakes, monkeys, coyotes; accurately portrayed their own physical characteristics; and created images of their gods which showed great affection for those who gave them joy and sustenance — not to mention respect to the point of terror for the gods of war and death.

The greatness of this magnificent empire of the sun ended abruptly with the Spanish conquest in 1521 A.D.

The Cultures of Oaxaca

Because of its geography the Oaxaca area, during most of its history, developed almost independently from the rest of Mesoamerica. This gave rise to an art style so distinct that it is easily recognizable. Probably from Preclassic times two races of people lived in Oaxaca: the Zapotec and the Mixtec. They had different languages, different habits, and a different approach to art; and they were more or less at war with each other most of the time. For centuries the Zapotec had the upper hand, but by the very end of the Classic period the Mixtec domination began. Later the Mixtec not only controlled Oaxaca, but their cultural influence spread beyond this area reaching as far as the Central Plateau and extending from the Gulf of Mexico to the Pacific Ocean.

The Zapotecs surely had early contact with the Olmecs, and all Zapotec art shows this influence. They were great builders as is seen in the famous cities of Monte Albán, Zaachila, Dainxú, and other sites that are currently being discovered. Zapotec ceramics are of a high quality: a fine grained paste burnt to a high temperature — perhaps the highest in America — resulting in a very hard, sonorous pottery that is totally weather and decay proof. This is why the state of

atura,—quizás la más alta de América. Esto produjo una materia muy dura, sonora y que resiste la intemperización totalmente. Por ello, el estado de conservación de la cerámica funeraria de los zapotecas,—que es su más notable producción artística—, es siempre tan excelente.

La arquitectura zapoteca es masiva y notablemente desprovista de ornamentos. Construyeron para sus jefes y personas notables, tumbas de cámara, amplias y, a veces, cubiertas de pinturas murales policromas, que tenían fachadas con ornamentos, aunque no eran para ser vistas, pues aún éstas quedaban bajo tierra. Sus representaciones humanas, más que a un naturalismo, tendieron hacia un realismo simbólico en el que las proporciones del cuerpo estaban dictadas por la importancia simbólica de cada una de ellas. Su primera cerámica fue simple y directa en concepción; la cerámica tardía llegó a una especie de barroquismo muy especial, metódico, y más bien dictado por la acumulación de símbolos que por la multiplicación de los ornamentos.

Por razones que ignoramos, ya muy al final del período clásico, los zapotecas se debilitaron y fueron poco a poco dominados por los mixtecos. Este pueblo, originalmente replegado hacia Oeste del Estado, se extendió hacia el centro y el Norte, entrando a los ahora Estados de Puebla y Veracruz. Los mixtecos no fueron grandes constructores; fuera del admirable sitio de Mitla, no se conocen grandes ruinas mixtecas. En cambio, sus realizaciones en otros campos: cerámica, textiles joyería etc., son de tal riqueza y variedad que sería inútil tratar de dar aquí una idea siquiera superficial. El trabajo en metal llegó a Mesoamérica algo tarde, con toda seguridad proveniente de Perú, traído por mar a las costas de Guerrero y Michoacán. Allí se arraigó prontamente, y al poco tiempo, quizás desde el siglo XI, se empezaron a producir grandes cantidades de herramientas y adornos de cobre y bronce. Es probable que la joyería mixteca, además de estar relacionada con esta área de Occidente, haya sido también influenciada por la tradición de joyería en oro, que de Colombia entró por tierra a Panamá, Costa Rica, etc., hasta llegar a Mesoamérica. Los mixtecos llevaron la joyería, casi siempre trabajada por fundición a cera perdida, a un nivel de perfección extraordinario, que se puede apreciar claramente en las piezas que aquí se ilustran.

El Arte de las Culturas del Golfo de Mexico: Olmeca, Centro de Veracruz, Totonaca y Huasteca

En las tierras tropicales de la Costa del Golfo de México florecieron, entre la exuberante y lujuriosa vegetación irrigada por abundantes ríos, tres grandes culturas del México prehispánico que tuvieron su momento de apogeo en tres diferentes épocas, la olmeca durante el Preclásico (1200-200 antes de nuestra era); la del Centro de Veracruz en el Clásico (300-900 de nuestra era); cuyo territorio, más tarde, fue

preservation of almost all Zapotec funerary ceramics — their finest achievement — is always so good.

Zapotec architecture is massive and notably devoid of ornamentation. Ample chamber tombs, sometimes covered with polychrome fresco paintings, were built for their chiefs and other notables. Even though the tombs were to be covered by earth, they had decorated facades. In the representation of the human form, the Zapotec tended toward a kind of symbolic realism, rather than to naturalism, in which the relative sizes of the pots were determined by their symbolic importance. Their earlier ceramics were simple and direct in conception, while their later ceramics had a very methodical, baroque character determined rather by the accumulation of symbols than by the multiplication of ornaments.

For reasons we do not know, at the end of the Classic period the Zapotec lost strength and were dominated by the Mixtec. The Mixtec, who were originally confined to the east of the state, expanded toward the center and the north, populating parts of Puebla and Veracruz. The Mixtec were not great builders. Aside from the admirable site of Mitla, we know of no other great Mixtec ruins; on the other hand, their achievements in other fields such as ceramics, textiles, and jewelry, were outstanding and of such a variety that it is useless to try to give even a superficial idea of them here. Metal work reached Mesoamerica rather late, coming from Peru by coastal maritime routes to the shores of Guerrero and Michoacán. There, in a surprisingly short time — beginning perhaps in the 11th century — people began to produce enormous quantities of tools and ornaments in copper and bronze. It is probable that Mixtec jewelry, besides its relation to the western area, was influenced by the gold jewelry tradition which may have reached Oaxaca by land from Colombia, Panama, and Costa Rica. The Mixtec perfected jewelry to an extraordinary level which can be readily appreciated in the pieces shown here.

Art of the Gulf Coast Cultures of Mexico: Olmec, Central Veracruz, Totonac, and Huastec

Amidst the profuse and luxurious vegetation of the tropical Gulf Coast of Mexico four great cultures flourished, reaching their apogees in three different epochs: the Olmec during the Preclassic (1200-200 B.C.), the Central Veracruz in the Classic (300-900 A.D.), and the Totonac and Huaxtec in the Postclassic (900-1500 A.D.).

Within the Olmec culture — the first high civilization in America — the basic ideas and idiosyncrasies which later characterized Prehispanic Mexico developed. The Olmecs worked hard semiprecious stones with outstanding skill, initiated the cult of the jaguar and the snake, very probably invented the Mesoamerican calendar and positional numeration, were perhaps the first people in the world

ocupado por los totonacas; y la huasteca, en el Postclásico (900-1500 de nuestra era).

La olmeca es conocida por ser la primera civilización de América. En ella se gestaron varias de las ideas que caracterizaron la idiosincrasia de las culturas que más tarde se desarrollaron en el México prehispánico. Los olmecas destacaron por su habilidad de tallar las piedras duras; por su culto religioso al jaguar y la serpiente; por su adelantada y compleja organización social y política y por sus conocimientos del calendario y los numerales, entre otros logros; de ahí que los olmecas puedan considerarse excepcionales, sobre todo cuando se piensa que los realizaron durante el período Preclásico.

La cultura del Centro de Veracruz cuyo apogeo pertenece al período Clásico (300-900 de nuestra era), tuvo un gran desarrollo artístico que se manifestó en una escultura, tanto en barro como en piedra, de gran calidad; una arquitectura de estilo único en el México precolombino; y por tener presente en sus obras dos elementos no manejados por otras culturas prehispánicas: la sonrisa y la rueda. El centro ceremonial más importante fue El Tajín, Veracruz, cuya importancia religiosa es realzada por los once juegos de pelota que ahí se conocen.

Entre los siglos VIII y IX arribaron los totonacas, los que aportaron nuevas características, tanto en la arquitectura como en la escultura. Su centro principal fue la ciudad de Cempoala, Veracruz, una de las primeras que visitaron los españoles, y en donde encontraron aliados para su conquista del Imperio Mexicano de Tenochtitlan.

La cultura huasteca tuvo características distintas a las dos anteriores; su situación geográfica, alejada del área central de la civilización mesoamericana, le permitió desarrollar elementos muy particulares.

A fines del período Clásico (800 de nuestra era) los huastecos se incorporan a la gran corriente cultural del México prehispánico. Pero es sobre todo durante el período Postclásico (900-1500 de nuestra era), cuando tuvieron su máximo esplendor.

En su arquitectura de mucha sobriedad, predominan las formas redondas, pero son la escultura en piedra y el trabajo en concha los que la definen en su campo artístico.

Las culturas que surgieron en la Costa del Golfo de México manifestaron en sus obras una gran fuerza vital, que comunicaron a otros grupos del México precolombino.

El Arte Maya

Aproximadamente 1500 años A.C., se inició el desarrollo cultural de los mayas, en un vasto territorio que abarca el sureste de lo que es actualmente la República Mexicana y parte de Centro América.

En la época Clásica, –300 a 900 D.C.–, cuando ocurrió el máximo desarrollo cultural, tenían una

to have the concept of zero, and there is reason to suppose that they had a very complex social and political organization. Olmec accomplishments seem all the more exceptional when we take into account that they began to be realized around 1,000 B.C.

Central Veracruz culture reached its highest development during the Classic period (300-900 A.D.), expressing itself very capably in stone and ceramic sculpture. Not only did their architecture evidence traits that sharply differentiated it from other forms in Mesoamerica, but two characteristics were exclusively their own: the representation of the smile and the use of wheels in objects that may or may not have been toys. Their most important ceremonial center, El Tajín, Veracruz, was so grand and extensive that it had eleven ball courts.

The Totonacs arrived in Veracruz between the 8th and 9th centuries A.D., once again bringing new qualities to architecture and sculpture. Their main center, the city of Cempoala, was the first important city to be visited by the Spanish during the conquest; there they found allies in their attack against the Tenocha empire.

The Huastec peoples settled in a relatively isolated spot at the northern boundary of this cultural area, lending their culture its special and distinct characteristics. They entered into the mainstream of Mexican culture at the end of the Classic period (about 800 A.D.) and reached their peak in the Postclassic period (900-1500 A.D.). Their architecture was very sober, with a predominance of rounded forms, and their most outstanding works were stone sculptures and carved conch shells.

The tremendous vitality of these Gulf Coast cultures always exerted a strong influence over the rest of Mesoamerica.

Maya Art

The culture of the Maya began to develop around the year 1500 B.C. in the vast territory covering most of the southwestern part of what is now the Mexican Republic and more than half of Central America.

At the time of their cultural apex during the Classic period (300-900 A.D.), their society was highly structured under an all-pervasive theocratic government. Religion and worship of the gods were the main inducements to create artistic objects and to erect temples and altars; their main concern in life was to ingratiate themselves with the supernatural powers. Deities were most often represented, but very highranking civic personages occasionally gained the sculptors' attention. Natural phenomena, mainly of an astronomic nature, and the mathematic computations pertaining to them, were the subjects of elaborate monuments, worshipped by the Maya.

Later, other motifs inspired Maya artists: objects, animals, people, situations and actions of daily life.

sociedad altamente jerarquizada y un gobierno teocrático que dominaba la vida y las actividades del grupo; la religión y el culto a los dioses los incitaba a crear objetos bellos, erigir templos y altares, por que su principal preocupación era congraciarse con los poderes y las fuerzas sobrenaturales. Se representaba a las deidades o se aludía a ellas, pero también ciertos personajes, eventos cívicos de importancia, sucesos naturales, cálculos astronómicos y fechas relacionadas con los anteriores, eran objeto de atención y culto.

Para el artista maya, eran motivo de inspiración también, las cosas, los animales, los seres humanos e incluso las situaciones y actos de la vida diaria. Y es que, aunque fué un arte estrechamente vinculado con la religión y el ceremonialismo,—en su esencia resulta eminentemente realista y descriptivo, sereno y equilibrado; en suma, un arte en el que lo humano predomina sobre el símbolo.

Al contemplar sus figurillas de barro, sus esculturas en piedra o estuco, las escenas con figuras humanas en vasijas, pinturas murales, en los bajorrelieves de lápidas, estelas, dinteles, etc., se puede constar fácilmente lo anterior. La variedad de sus motivos es enorme y representaron a dioses de aspecto fantástico, a seres humanos normales y enfermos, a personajes de muy variadas jerarquías, jefes y sacerdotes, guerreros, músicos, jugadores de pelota, gente del pueblo, mujeres en actitudes domésticas y rutinarias cargando a sus hijos o tejiendo en su telar de "cintura" y también a esclavos, en posición humillada y con expresión suplicante.

La minuciosidad en los detalles, la elaboración en vestidos y adornos, así como el realismo en las actitudes y poses, han servido para indicarnos claramente, no sólo el sexo y la jerarquía social de los personajes representados, sino también la ocupación o profesión de los mismos. Además, gracias a ese arte minucioso y realista, podemos darnos cuenta del gran adelanto que alcanzaron en ciertas artes menores, realizadas en materiales perecederos que no han resistido el transcurso del tiempo como la plumaria, el trabajo del cuero, la cestería y el tejido, entre otras.

Los mayas alcanzaron el máximo desarrollo cultural en la América precolombina y en sus vestigios arqueológicos es posible observar hoy día, que tuvieron un arte refinado, de profundas raíces religiosas, aunque sus manifestaciones resultan, con gran frecuencia, de un gran realismo.

El Arte Prehispánico en el Occidente de México

La región del Occidente de México es la subárea cultural más grande de Mesoamérica. Comprende los actuales estados de Sinaloa, Nayarit, Jalisco, Colima, Guanajuato, Michoacán y Guerrero. Es una región con una topografía y una ecología muy diversas y a la cual corresponden igualmente una gran variedad de grupos étnicos, lenguas y culturas que abarcan todos los períodos prehispánicos: el Precerámico, el Preclásico,

For, though their art was strictly bound to religion and ritual, it was also eminently realistic and descriptive, serene and equilibrated; an art in which the human predominated over the symbol.

Contemplating their ceramic figurines, stone and stucco sculptures, scenes and persons in their mural paintings, bas reliefs, lintels, steles, and even clay pots, confirms this. The variety of subject matter in their works is enormous; gods of fantastic mien, human beings in health or sickness from all walks of life: warriors, musicians, ball players, common people, women in their routine domestic activities — carrying their babies, weaving on their waist looms — and slaves in humble attitudes with supplicating expressions.

The painstaking exactness of representation in Maya art which sometimes went to the extreme — as the carving in stone of each thread of an embroidery — allows us to appreciate the degree of advancement they reached in certain arts executed in perishable materials: textiles, leather, feather work, basketry, etc.

It is now generally accepted that the Maya of Classical times reached the highest cultural development of Precolumbian America. In their archaeological remains one can observe the refinement of their art, an art deeply rooted in religion, although the objects themselves are often highly realistic.

Prehispanic Art from Western Mexico

Western Mexico is the most extensive cultural subarea of Mesoamerica, extending over the modern states of Sinaloa, Nayarit, Jalisco, Colima, Guanajuato, Michoacán, and Guerrero. It is an area of great topographical and ecological diversity, matched by a corresponding variety of ethnic groups, languages, and cultures that cover all the Prehispanic periods: Preceramic, Preclassic, Classic and Postclassic.

Until recently, Western Mexico was considered a single enormous cultural area marginated and isolated from the rest of Mesoamerica. This concept, however, has changed drastically with recent archaeological discoveries. We know now that it interrelated with the rest of the Mesoamerican cultures to some degree throughout their history, with greatest contact in the last centuries before the Conquest. The Western area gave birth to many social, aesthetic, and cultural manifestations of its own that are of a quality comparable to the rest of Mesoamerica.

In accordance with their environment, necessities, and technology, Western man practiced hunting, fishing, gathering, and later, argiculture, and commerce. It was only a short time before the Conquest that they had an economy enriched by tribute paid by conquered populations. They were proficient in the so-called minor arts, especially ceramics, representing in small clay sculptures everything in their environment: animals, plants,

el Clásico y el Postclásico.

Hasta hace algunos años se consideraba al Occidente de México como una sola y enorme área cultural, marginada y aislada del resto de Mesoamérica. Este concepto ha variado a la luz de recientes descubrimientos. Ahora se sabe que tuvo relaciones, en mayor o menor grado, con las demás culturas mesoamericanas a lo largo de su historia, sobre todo en los últimos siglos antes de la Conquista. Así fue como en el Occidente se originaron y desarrollaron manifestaciones culturales, estéticas y sociales propias y diferentes, pero no por esto menos valiosas que las del resto de Mesoamérica.

De acuerdo al medio ambiente y a sus necesidades y conocimientos tecnológicos, los habitantes del Occidente practicaron la caza, la pesca, la recolección y posteriormente la agricultura y el comercio. Es hasta épocas muy tardías cuando su economía se ve incrementada con el pago de tributos por los pueblos conquistados. Destacaron en las artes menores, principalmente en la alfarería, en la que dejaron plasmadas sus creencias magicorreligiosas, su arquitectura, la fauna y flora, sus enfermedades y aspecto físico, con una gracia y espontaneidad no igualada en el resto de Mesoamérica. Sus esculturas de arcilla tienen una calidad técnica y estética, que las convierten en verdaderas joyas del arte universal. También trabajaron con maestría las piedras duras semipreciosas usadas para la fabricación de adornos o para esculturas y otros objectos suntuarios.

Rosa Margarita Brambila
Marcia Castro Leal
Enrique Médez
Amalia C. de Méndez
Mari Cruz Palillés
Felipe Solis
Wanda Tommasi
Olivia Torres
Margarita Velasco

human beings with all their joys and sorrows, magicreligious rituals, games, and even entire towns with their houses and people going about their daily lives and tasks. All this was rendered not only with technical proficiency, but with a grace and spontaneity unequaled in the rest of Mesoamerica. They worked the hard, semi-precious stones of the area masterfully, producing, for example, obsidian ear ornaments of paper thinness; and we must not forget that it was in Western Mexico that metalwork was introduced to Mesoamerica. This technology came from South America to the area sometime between the end of the Classic and the beginning of the Postclassic periods and was so quickly accepted and so well understood that it was soon carried to a stage of development far above that achieved in its place of origin.

Rosa Margarita Brambila
Marcia Castro Leal
Enrique Médez
Amalia C. de Méndez
Mari Cruz Palillés
Felipe Solis
Wanda Tommasi
Olivia Torres
Margarita Velasco

Prehistory
Prehistoria

1
Sacral Bone from Tequixquiac

Preagricultural
10,000 B.C.
Tequixquiac, State of Mexico
I.N.A.H.: 0-177/10-9515
Height: 7-1/16 in.

This now fossilized sacrum of an extinct ancestor of the camel or llama was found within the Upper Pleistocene deposits at Tequixquiac, in the north of the Valley of Mexico. It shows cuts and other alterations made by prehistoric man to accentuate the natural similarity of this bone to the head of an animal. This piece is of incalculable scientific value because it is the earliest known piece of sculpture from the American continent.

1
Hueso Sacro de Tequixquiac

Preagrícola, Etapa de las Bandas
 Inferiores
10,000 años A.C.
Tequixquiac, Edo. de México
I.N.A.H.: 0-177/10-9515
Alto: 18 cms.

Hueso fósil de camélido hallado en Tequixquiac, Edo. de México. Muestra cortes y alteraciones hechas por el hombre prehistórico, para acentuar la semejanza natural que este tipo de hueso tiene con una cabeza de animal. Es una pieza de incalculable valor científico pues constituye el primer ejemplo conocido del arte prehistórico en el continente americano.

Preclassic: Central Plateau
Preclásico del Altiplano Central

2
Female Figurine

Preclassic
Middle Preclassic
1200-800 B.C.
Tlatilco, State of Mexico
I.N.A.H.: 1-2162/47365
Height: 4-1/2 in.

Small clay figurines, such as this one which represents a young girl with bulbous legs, were made in large numbers. Facial modeling is very delicate. The rudimentary representation of the arms is one of the most characteristic traits of Preclassic sculpture.

2
Figurilla Femenina

Preclásico
Preclásico Medio (1200-800 A.C.)
Tlatilco, Edo. de México
I.N.A.H.: 1-2162/47365
Alto: 11.4 cms.

Muchacha púber con las piernas bulbosas, fino modelado de la cara y tocado con el símbolo solar.

3
Duck

Preclassic
Middle Preclassic
1200-800 B.C.
Tlatilco, State of Mexico
I.N.A.H.: 1-2400/10-2310
Height: 2-7/8 in.

This vessel represents one of the many varieties of ducks which were part of the fauna of the Valley of Mexico. Animals had an important place in the religion of this period. Pieces of this type are most often found as funerary offerings.

3
Pato

Preclásico
Preclásico Medio (1200-800 A.C.)
Tlatilco, Edo. de México
I.N.A.H.: 1-2400/10-2310
Alto: 7.3 cms.

Representa a una de las variedades de patos que formaban parte de la fauna de la Cuenca de México. Los animales tuvieron un lugar importante dentro del mundo religioso; algunas de estas piezas se han encontrado formando parte de ofrendas mortuorias.

4
Acrobat

Preclassic
Middle Preclassic
1200-800 B.C.
Tlatilco, State of Mexico
I.N.A.H.: 1-2520/10-77582
Height: 14 in.

Ceramic bottle in the form of an acrobat, whose performance was probably part of a religious ceremony. It is interesting to note that the conversion of this vessel to sculpture does not impair its usefulness: the bent left leg uniting with the head provides a good handle, the up-raised stump of the right leg serves as a spout.

4
Acróbata

Preclásico
Preclásico Medio (1200-800 A.C.)
Tlatilco, Edo. de México
I.N.A.H.: 1-2520/10-77582
Alto: 35.5 cms.

Contorsionista que se exhibía en ceremonias magicorreligiosas. El rictus de la boca indica el esfuerzo del acróbata.

5
Mask

Preclassic
Middle Preclassic
1200-800 B.C.
Tlatilco, State of Mexico
I.N.A.H.: 1-2535/77601
Diameter: 4-5/16 in.

This mask was used during the performance of magic-religious rituals. That it was effectively used in spite of its small size is proved by figurines like the one shown in number 6. The special shapes of the apertures for the eyes and mouth are symbolic of the deity of annual renewal of all vegetation.

5
Máscara

Preclásico
Preclásico Medio (1200-800 A.C.)
Tlatilco, Edo. de México
I.N.A.H.: 1-2535/77601
Diám. 11.0 cms.

Máscara de barro usada durante las ceremonias magicorreligiosas. La abertura de ojos y boca corresponde a la deidad de la renovación de la vegetación. Es característica la estilización de las orejas en forma de aves.

6
Shaman

Preclassic
Middle Preclassic
1200-800 B.C.
Tlatilco, State of Mexico
I.N.A.H.: 1-2714/2060
Height: 3-13/16 in.

Even though Preclassic society was most probably matriarchal in structure, the presiding personages over magic rituals were always men. This shaman, dressed in a kind of garment made of rough cloth, has a high headdress; the central portion of the face is covered by a small mask. This figurine was found in a tomb with a virtually identical figurine, accompanied by figurines of two fat dwarves.

6
Figurilla de Shamán

Preclásico
Preclásico Medio (1200-800 A.C.)
Tlatilco, Edo. de México
I.N.A.H.: 1-2714/2060
Alto: 9.7 cms.

Esta estatuilla representa un shamán, una de las pocas figuraciones masculinas en el Preclásico de la cuenca de México. Pese a que aquella sociedad era matriarcal, los personajes que presidían los ritos mágicos, eran varones.

7
Seated Baby

Olmec
Middle Preclassic
1200-800 B.C.
Veracruz (?)
I.N.A.H.: 13-15/10-155807
Height: 1-1/16 in.

The Olmecs produced numerous examples of hollow clay sculptures of babies; it is now thought that they represented a deity. This figure shows all the characteristic Olmec traits: fatness, absence of an explicit representation of sex, the corners of the mouth pulled down, and cranial deformation. The hair is short and crisp and is painted red; an application of white slip covers the body.

7
Figurilla Hueca Sedente

Olmeca
Preclásico Medio (1200-800 A. C.)
I.N.A.H.: 13-15/10-155807
Veracruz (?)
Alto: 25.5 cms.

Representa a un niño. Se observan los rasgos característicos olmecas, como lo es la gordura, la ausencia del sexo, las comisuras de la boca hacia abajo, y el cráneo deformado. El pelo es muy corto y chino, pintado en color rojo. Sobre el cuerpo desnudo se aplicó un engobe blanco.

Classic: Teotihuacan
Clásico: Teotihuacan

8
Inlaid Mask

Teotihuacan
Classic
250-650 A.D.
I.N.A.H.: 9-1700/9629
Height: 8-7/8 in.

This mask exemplifies the high degree of skill attained by the Teotihuacan craftsmen. Masks of this type contained inlays of turquoise, shell and other materials.

8
Máscara en Piedra

Teotihuacan
Clásico (250-650 D.C.)
I.N.A.H.: 9-1700/9629
Alto: 22.50 cms.

A principios de la era cristiana los artesanos de Teotihuacan dominaron admirablemente el trabajo en piedra. En esta máscara de piedra verde se usaron las técnicas del pulido y del tallado, así como la decoración ritual del rostro: tal vez estas bandas del rostro estuvieron incrustadas de otro material diferente.

9
Cylindrical Tripod Vessel

Teotihuacan
Classic
250-650 A.D.
I.N.A.H.: 9-2024/78074
Height: 8-1/16 in.

At the height of Teotihuacan culture (around 350 A.D.) its artistic style was enriched by the arrival of new elements from the Gulf Coast of Mexico. This incised cylindrical vessel has around its bottom a fringe of little heads of the fat god characteristically worshipped in that region.

9
Vaso Cilíndrico Trípode

Teotihuacan
Clásico (250-650 D.C.)
I.N.A.H.: 9-2024/78074
Alto: 20.5 cms.

En el período de máximo apogeo de Teotihuacan—hacia 350 D.C.—las manifestaciones artísticas se vieron enriquecidas con la llegada de elementos de la Costa del Golfo. En este gran vaso de arcilla se usaron los entrelaces y las cabecitas del dios gordo, característicos de aquella región.

10
Frescoed Tripod Vase

Teotihuacan
Classic
250-650 A.D.
Teotihuacan
I.N.A.H.: 9-2025/10-28075
Height: 5-1/8 in.

Similar to the style of its frescoed mural decorations are the painted vessels of Teotihuacan such as the one shown here. The design was most often inscribed on a colored ground. The various colors were applied by a series of cut and fill applications.

10
Vaso Cilíndrico con Decoración al *Secco*

Teotihuacan
Clásico (250-650 D.C.)
I.N.A.H.: 9-2025/10-78075
Alto: 13 cms.

Una de las formas cerámicas más representativas de la época teotihuacana, la constituyen estos vasos cilíndricos con tres soportes que por regla general llevan una elegante tapa en forma de un cono aplanado. Para decorarlas se utilizaron diversas técnicas como el esgrafiado, pastillaje etc.; en este caso se lo recubrió con una delgada capa de estuco en la que fue pintada una escena ritual con vivos colores.

11
Tripod Vase with Cover

Teotihuacan
Classic
250-650 A.D.
I.N.A.H.: 9-2071/14556
Height: 7-11/16 in.

This covered vase belongs to the apogee of Teotihuacan culture. Seated at the top of the conical cover is a small quail; the cartouches that are repeated around the vessel and the cover contain stylizations of a serpent head. The ceremonial center of Teotihuacan was visited by people coming from all of Mesoamerica to worship its gods and to trade. Their presence was perpetuated in the symbolic elements they brought to Teotihuacan art.

11
Vaso Trípode con Tapadera

Teotihuacan
Clásico (250-650 D.C.)
I.N.A.H.: 9-2071/14556
Alto: 19.5 cms.

Este vaso con tapadera pertenece a la etapa de florecimiento de Teotihuacan. El gran centro ceremonial fue visitado entonces por pueblos venidos de toda Mesoamérica para reverenciar a los dioses y para comerciar. Su presencia se perpetuó en los elementos simbólicos que aportaron al arte teotihuacano.

12
Ceramic Mask

Teotihuacan
Classic
250-650 A.D.
Azcapotzalco, D.F.
I.N.A.H.: 9-2377/10-806
Height: 3-15/16 in.

The complicated ritual vases of Teotihuacan usually known as incense burners were decorated with many modeled appliques representing flowers, feathers, butterflies, and other symbolic motifs. The central element of these pieces is a small mask such as the one shown here.

12
Máscara en Arcilla

Teotihuacan
Clásico (250-650 D.C.)
Azcapotzalco, D.F.
I.N.A.H.: 9-2377/10-806
Alto: 10 cms.

Los teotihuacanos elaboraron complicadas rituales conocidas como braseros, los cuales estaban decorados con efigies de los dioses y aplicaciones, con motivos simbólicos y fantásticos como flores, plumas etc.; el motivo central de estas piezas lo constituye generalmente una máscara como ésta, en la que el artista plasmó el patrón estético de su tiempo.

13
Reclining Canine

Teotihuacan
Classic
250-650 A.D.
La Ventilla, Teotihuacan
I.N.A.H.: 9-2492/10-79921
Height: 3-1/8 in.

The dog was an animal heavily charged with significance in the Prehispanic world. It was a very important source of protein for the people. The dog was supposed to accompany the spirit of the dead in its voyage across the world of darkness.

13
Perro

Teotihuacan
Clásico (250-650 D.C.)
La Ventilla, Teotihuacan
I.N.A.H.: 9-2492/10-79921
Alto: 8 cms.

El perro, uno de los animales más significativos para los pueblos del México prehispánico, fue una fuente de proteinas, ya que se le utilizó de alimento y además era el acompañante del muerto en su viaje al mundo de las tinieblas.

14
Fragment of a Mural Painting

Teotihuacan
Classic
250-650 A.D.
I.N.A.H.: 9-3091/10-135981
Length: 35-7/16 in.

Teotihuacan was an exuberant polychrome city; practically all of its buildings were covered with frescoes, most often of a religious character. This fragment represents a priest in the guise of the rain god, Tlaloc. He is carrying, with a trumpline, a basket full of ears of corn and his right hand holds a complete maize plant. The scroll that comes out of his mouth means he is singing.

14
Fragmento de Pintura Mural

Teotihuacan
Clásico (250-650 D.C.)
I.N.A.H.: 9-3091/10-135981
Largo: 90 cms.

Teotihuacan fue una ciudad de exuberante policromía. Todas sus construcciones estaban decoradas con murales de carácter ritual y simbólico. En este fragmento de mural se representa a un sacerdote con atributos del dios de la lluvia, Tláloc.

15
Mouth of Tlaloc

Teotihuacan
Classic
250-650 A.D.
I.N.A.H.: 9-4565/136921
Height: 50 in.

Most important buildings at Teotihuacan had several pieces of this type aligned along the upper edge of their facades. This architectural element of basalt represents the mouth of the rain god, Tlaloc, with enormous fangs and a bifid tongue coming out from behind them.

15
Boca de Tlaloc

Teotihuacan
Clásico (250-650 D.C.)
I.N.A.H.: 9-4565/136921
Alto: 1.27 cms.

Los habitantes de Teotihuacan, al igual que otros grupos agrícolas, veneraron a una deidad del agua, Tláloc. Entre los atributos que lo caracterizan están la "bigotera", los enormes colmillos y la lengua bífida. Esta escultura en basalto fue quizás parte de la decoración de un palacio.

Early Postclassic
Postclásico Temprano

16
Stele 3 from Xochicalco

Epiclassic
700-1000 A.D.
Xochicalco, Morelos
I.N.A.H.: 14-1210/10-81750
Height: 64-9/16 in.

The face of the god Quetzalcóatl appears from within the open mouth of a snake. Above and below it we have some astronomical and calendrical glyphs. Quetzalcóatl was extremely important during the late stages of Teotihuacan and during the flourishing days of Tula.

16
Estela 3 de Xochicalco

Epiclásico (700-1000 D.C.)
Xochicalco, Morelos
I.N.A.H.: 14-1210/10-81750
Alto: 1.64 cms.

Representa el sacrificio del dios Quetzalcóatl (serpiente emplumada), deidad celeste que, a fines del período teotihuacano y durante el apogeo de Tula, tuvo especial relevancia en el panteón mesoamericano.

17
Coyote Jar

Toltec
Early Postclassic
900-1200 A.D.
I.N.A.H.: 15-34/47586
Height: 6-11/16 in.

This piece, of a type usually called plumbate because of the metallic gray color which covers it to a greater or lesser extent, is the only type of glazed pottery ever to exist in Precolumbian America. In Toltec times, plumbate ceramics were produced in enormous quantities in the southern part of Mesoamerica and exported from there up to the northernmost limits of the area.

17
Coyote

Tolteca
Postclásico Temprano (900-1200 D.C.)
I.N.A.H.: 15-34/47586
Alto: 17 cms.

Pieza que corresponde al tipo cerámico "plumbate" cuyo engobe muestra un alto grado de vitrificación. Tiene forma de coyote. Destaca no sólo por su belleza, sino por haber sido un producto de comercio, traído de las tierras mayas del sur a los estados del Altiplano Mexicano, durante el apogeo tolteca. Procede de Acayuca, Hidalgo.

18
Stone Atlante

Toltec
Early Postclassic
900-1200 A.D.
I.N.A.H.: 15-165/81253
Height: 47-1/4 in.

During the Postclassic period in Mesoamerica, there was a tremendous struggle between two types of political organizations, the theocratic and the military. After the victory and ascendancy of the military, even the caryatids which supported altars in temples were shaped like warriors. This representation of a warrior carries spears in his right hand and a spear thrower in the left.

18
Atlante que Representa un Guerrero

Tolteca
Postclásico Temprano (900-1200 D.C.)
I.N.A.H.: 15-165/81253
Alto: 1.20 cms.

El llamado período postclásico en Mesoamérica se caracterizó por el cambio en la organización política de los estados, que pasan de teocráticos a militaristas. La exaltación de esta nueva clase social está patente en Tula, en diferentes representaciones escultóricas. Un ejemplo de ello es este guerrero, ataviado con sus armas, escudo y el tradicional pectoral de mariposa. Generalmente llevaba, incrustada en el pecho, una piedra verde que simbolizaba el alma.

19
Face Panel

Toltec
Early Postclassic
900-1200 A.D.
I.N.A.H.: 15-199/81787
Height: 24 in.

It has been traditionally said that this stone represents the birth of Ce Acatl Topiltzin, founder of Tula, capital of the Toltecs, who later became the priest of the god Quetzalcóatl and took the shape and name of this god. That is why, in later times, Ce Acatl Topiltzin was often confused with Quetzalcóatl.

19
Lápida en Relieve

Tolteca
Postclásico Temprano (900-1200 D.C.)
I.N.A.H.: 15-199/81787
Alto: 61 cms.

Lápida que representa, según la tradición, el nacimiento de Ce Acatl Topiltzin, fundador de Tula, capital de los toltecas. Convertido en sacerdote del dios Quetzalcóatl, toma su nombre y en ocasiones es confundido con él.

Mexica
Los Mexicas

20
Jaguar

Mexica
Late Postclassic
1325-1521 A.D.
Cerro Colorado, Pue.
I.N.A.H.: 11-2897/101012
Height: 4-3/4 in.

The jaguar represents the nocturnal forces, darkness, cold, and violence. He was associated with the god Tezcatlipoca (Smoking Mirror), patron of the warriors.

20
Jaguar

Mexica
Postclásico Tardío (1325-1521 D.C.)
Cerro Colorado, Pue.
I.N.A.H.: 11-2897/10-1012
Alto: 12.0 cms.

El tigre representaba las fuerzas nocturnas, la oscuridad, el frío y la violencia; el Dios asociado a este animal era Tezcatlipoca, el espejo humeante, dios de los guerreros; en esta escultura de piedra verde observamos al felino descansando.

21
Feathered Coyote

Mexica
Late Postclassic
1325-1521 A.D.
Mexico City
I.N.A.H.: 11-2764/10-81677
Height: 25-5/8 in.

This seated coyote is completely covered with a design element that has been traditionally interpreted as feathers. In the center of his breast there appears the calendrical name Ce Acatl which alludes to the god Quetzalcóatl.

21
Coyote Emplumado

Mexica
Postclásico Tardío (1325-1521 D.C.)
Ciudad de México
I.N.A.H.: 11-2764/10-81677
Alto: 65.0 cms.

Representa un coyote emplumado, sentado en sus cuartos traseros; en este caso, el animal tiene el cuerpo cubierto de plumas, elementos preciosos, que simbolizaban la guerra sagrada.

22
Coiled Feathered Snake

Mexica
Late Postclassic
1325-1521 A.D.
Mexico City
I.N.A.H.: 11-2769/10-81581
Height: 9-7/8 in.

The snake was one of the most venerated animals of the Mesoamericans: these animals were a symbol of the life-giving power represented by the god Quetzalcóatl. On the back of this sculpture appears the same date Ce Acatl mentioned in No. 21.

22
Serpiente Emplumada

Mexica
Postclásico Tardío (1325-1521 D.C.)
Ciudad de México
I.N.A.H.: 11-2769/10-81581
Alto: 25.0 cms.

Entre los animales más venerados por los antiguos mexicanos está la serpiente, la cual simbolizaba el poder creativo de la vida; esta escultura representa al dios Quetzalcóatl, la serpiente emplumada, quien enseñó a los hombres la agricultura y las artes; lleva en el dorso el glifo uno caña, fecha en que nació el dios.

23
Human Torso

Mexica
Late Postclassic
1325-1521 A.D.
I.N.A.H.: 11-2918/10-40607
Height: 13 in.

In the head of this torso the Prehispanic sculptor succeeded in portraying with fidelity the main physical traits of the Mexica: wide nose, prominent cheekbones and thick lips. The square cavity in the middle of the breast was used to hold a magical bundle which gave life to the sculpture; the cavity was then sealed with a tight fitting green stone which could have been of jadeite, nephrite, or serpentine.

23
Escultura Antropomorfa

Mexica
Postclásico Tardío (1325-1521 D.C.)
I.N.A.H.: 11-2918/10-40607
Alto: 33.0 cms.

En este torso el escultor prehispánico captó fielmente los rasgos físicos del pueblo mexica: nariz ancha, pómulos pronunciados y labios gruesos; la oquedad cuadrada que presenta en el pecho alojaba una piedra verde o chalchihuite que daba vida a la escultura.

24
Tlacuache Jar

Mexica
Late Postclassic
1325-1521 A.D.
I.N.A.H.: 11-1967/10-55
Height: 9-7/16 in.

The tlacuache is one of the few marsupials that exist in America. Its meat formed a part of the Mesoamerican diet and even to this day is considered extremely delicious.

24
Tlacuache

Postclásico Tardío (1325-1521 D.C.)
I.N.A.H.: 11-1967/10-55
Alto: 24.0 cms.

El tlacuache, animal conocido en el Viejo Mundo como zarigüeya, fue representado en esta vasija en forma realista; las extremidades y los dientes se indican mediante un fino esgrafiado.

25
Goddess of Maize

Mexica
Late Postclassic
1325-1521 A.D.
I.N.A.H.: 11-2997/10-78317
Height: 14-9/16 in.

Here, Xilonen, Goddess of Maize, is represented as a kneeling woman wearing a diadem of flowers. Ears of corn form her headdress, and the tassels hang over her shoulders.

25
Diosa del Maíz

Mexica
Postclásico Tardío (1325-1521 D.C.)
I.N.A.H.: 11/2997/10-78317
Alto: 37.0 cms.

Vemos aquí a Xilonen, la diosa del maíz. En su tocado se ven elotes cuya madeja de cabellos cuelga hacia atrás de la escultura. Trae una diadema de flores, y orejeras de gran diámetro de las que penden unas borlas.

26
Xilonen Brazier

Mexica
Late Postclassic
1325-1521 A.D.
I.N.A.H.: 11-3014/10-1125
Height: 21-7/16 in.

On the front of this piece is a representation of the maize goddess Xilonen bearing all her symbols: necklace of corn, folded paper fan over her shoulders, yellow hair, and many of the yellow flowers called *cempaxóchitl*.

26
Brasero con Xilonen

Mexica
Postclásico Tardío (1325-1521 D.C.)
Tlatelolco, D.F.
I.N.A.H.: 11-3014/10-1125
Alto: 54.5 cms.

Pieza dedicada al culto de la diosa del maíz Xilonen. La imagen de la diosa decora el frente de la pieza, lleva el cabello rubio como el de este vegetal y va ataviada con una banda de turquesas y un moño de papel en la nuca. Su collar esta formado por mazorcas y flores, llamadas cempaxóchitl.

27
Ceramic Smoking Pipe

Mexica
Late Postclassic
1325-1521 A.D.
Tlatelolco, D.F.
I.N.A.H.: 11-3064/10-79928
Height: 5-7/8 in.

Among the people of southern Mesoamerica the *guacamaya* was an important symbol of the sun. In this piece, though the body of the bird is highly stylized, the head has all the alertness of expression of the bird itself.

27
Pipa en Forma de una Guacamaya

Mexica
Postclásico Tardío (1325-1521 D.C.)
Tlatelolco, D.F.
I.N.A.H.: 11-3064/10-79928
Alto: 15 cms.

Entre los pueblos del sur de Mesoamérica la guacamaya era el animal que simbolizaba el sol; en esta pieza observamos al ave muy estilizada con su característico color rojo.

28
Deified Woman

Mexica
Late Postclassic
1325-1521 A.D.
Mexico City
I.N.A.H.: 11-3282/10-1145
Height: 32-11/16 in.

Women who died in childbirth were deified and had the privilege of accompanying the sun in his travels around the firmament. They were represented as skeletons with matted hair and instead of hands they had jaguar claws. They were called *Cihuateteo*, which means deified women.

28
Mujer deificada

Mexica
Postclásico Tardío (1325-1521 D.C.)
Ciudad de México
I.N.A.H.: 11-3282/10-1145
Alto: 83.0 cms.

Las mujeres muertas en el parto eran divinizadas y tenían el privilegio de acompañar al sol en su viaje por el firmamento hasta que el astro se ocultaba; se las representaba descarnadas y con el pelo encrespado, como el de los muertos; esta imagen lleva además el glifo 1. Mono, fecha de su nacimiento.

29
Earth God

Mexica
Late Postclassic
1325-1521 A.D.
Mexico City
I.N.A.H.: 11-3473/10-81265
Height: 35-5/8 in.

The Mexica believed that the earth, as an element, adopted the shape of a monstrous being, Tlaltecuhtli (lord of the earth), which was eternally waiting to devour all living things. It was always represented with enormous fangs and sharp claws.

29
Diosa de la tierra

Mexica
Postclásico Tardío (1325-1521 D.C.)
Ciudad de México
I.N.A.H.: 11-3473/10-81265
Alto: 93.0 cms.

Los mexicas creían que la tierra, como elemento, adoptaba la forma de un ser monstruoso, Tlaltecuhtli, el señor de la tierra, el cual esperaba a todo ser viviente para devorarlo; por ello se le representaba con enormes colmillos y filosas garras; lleva como atavio un faldellín de huesos cruzados, alusivos al sacrificio humano.

30
Serpent Head

Mexica
Late Postclassic
1325-1521 A.D.
Mexico City
I.N.A.H.: 11-3481/10-81558
Height: 21-1/4 in.

The buildings in Tenochtitlan and other contemporary cities were ornamented with these stone serpent heads, which were usually placed flanking the bases of staircases.

30
Cabeza de Serpiente

Mexica
Postclásico Tardío (1325-1521 D.C.)
Ciudad de México
I.N.A.H.: 11-3481/10-81558
Alto: 54.0 cms.

Los edificios de la ciudad de México Tenochtitlan, capital de los mexicas, estaban decorados con figuras de animales, como esta cabeza de serpiente estilizada, cuyas líneas siguen la forma del bloque cuadrangular de piedra.

31
Dog Head

Mexica
Late Postclassic
1325-1521 A.D.
Mexico City
I.N.A.H.: 11-3744/10-116545
Height: 17-3/4 in.

Xólotl was the twin brother of *Quetzalcóatl:* this divine couple represented the planet Venus. Venus has two aspects: the morning and the evening star. *Quetzalcóatl* is Venus as the morning star, *Xólotl* is Venus as the evening star. This is a similar object to that described in number 30. It is one of the rare instances in which the animal represented is not the snake.

31
Cabeza de Perro

Mexica
Postclásico Tardío (1325-1521 D.C.)
Ciudad de México
I.N.A.H.: 11-3744/10-116545
Alto: 45 cms.

Xólotl era el gemelo de Quetzalcóatl, ya que esta deidad representaba al planeta Venus y tenía una doble presentación al amanecer y al atardecer, Xólotl tenía un aspecto de perro y así está mostrado en esta cabeza monumental en la que observamos que el perro dios tiene como atavío las orejeras de gancho.

32
Smoking Pipe

Mexica
Late Postclassic
1325-1521 A.D.
I.N.A.H.: 11-3786/10-157019
Height: 3 in.

The bowl of this pipe represents the head of an owl. This bird was associated with the gods of death and prophesied calamities.

32
Pipa con Cabeza de Buho

Mexica
Postclásico Tardío (1325-1521 D.C.)
I.N.A.H.: 11-3786/10-157019
Alto: 8 cms.

El buho, ave rapaz nocturna, es el motivo decorativo central de esta pipa, la cabeza del animal está representada con gran naturalidad; estaba asociado a las deidades de la muerte y su canto predecia un futuro nefasto.

Oaxaca: Zapotec and Mixtec
Oaxaca: Zapoteca y Mixteca

33
***Jaiba* Crab**

Mixtec
Postclassic
900-1521 A.D.
I.N.A.H.: 7-1076/17197
Height: 3-1/8 in.

This handsome pot is a totally realistic representation of a *jaiba*, a special variety of crab very common in the Gulf of Mexico. The jaiba was also an important element in the diet of the Gulf Coast populations.

33
Jaiba

Mixteca
Postclásico (900-1521 D.C.)
I.N.A.H.: 7-1076/17197
Alto: 9.5 cms.

Representa una jaiba con ejemplar realismo.

34
Ceramic Funerary Urn

Zapotec
Classic
200-700 A.D.
I.N.A.H.: 6-6047/3260
Height: 27-9/16 in.

This urn represents a goddess whose name is applied, in relief, upon the center of her breast: "13-snake". The field of action of this deity is not known, but its image very clearly shows the massive power and serenity of Zapotec art.

34
Urna en Cerámica

Zapoteca
Clásico (200-700 D.C.)
I.N.A.H.: 6-6047/3260
Alto: 70 cms.

Urna zapoteca en cerámica representa a la diosa 13. Serpiente, cuyo numeral se encuentra al frente del quechquémitl (blusa). Está adornada con una gran trenza, orejeras y collar; tiene las manos en el pecho en ademán de veneración.

35
Bat God

Zapotec
Classic
200-900 A.D.
I.N.A.H.: 6-259/17836
Height: 11-5/8 in.

The personage at the front of this urn is an impersonation of the Bat God: Lord of the Night. He was guardian of the dead and as such was highly venerated by the Zapotec Indians. According to other myths, the bat was also connected with the god Quetzalcóatl.

35
Dios Murciélago

Zapoteca
Clásico (200-900 D.C.)
I.N.A.H.: 6-259/17836
Alto: 31.5 cms.

Vaso funerario, tiene modelado un personaje que lleva la máscara del murciélago, Señor de la Noche, animal asociado al culto a la muerte, ya que es el guardián de los difuntos. Por eso era muy venerado entre los zapotecas. Lleva como atributos máxtlatl, orejeras y un gran collar.

36
Tripod Vessel

Mixtec
Late Postclassic
1200-1500 A.D.
I.N.A.H.: 7-2535/316
Height: 8-3/4 in.

This is a very good example of high quality burnished polychrome Mixtec ceramics. The decorative elements are so highly stylized that it is not possible to say exactly what they represent, but they might be feline heads in a non-Mesoamerican style. Some of these heads are painted in a shade of purplish red which does not otherwise occur in Mesoamerican ceramics but is normally found in Nazca pottery from Peru.

36
Vasija Trípode

Mixteca
Postclásico Tardío (1200-1500 D.C.)
I.N.A.H.: 7-2535/316
Alto: 22.5 cms.

Olla trípode con decoración polícroma. Destacan en el cuerpo de la vasija las caras estilizadas de felinos. En el cuello tiene motivos serpentinos. Ambos animales siempre aparecen asociados en el panteón mesoamericano.

37
Gold Bracelet

Mixtec
Late Postclassic
1300-1521 A.D.
Tomb 7, Monte Albán, Oaxaca
I.N.A.H.: 10-105647
Height: 1-1/16 in.
Diameter: 3-13/16 in.

A bracelet made of cast, hammered, and burnished gold. The ornamentation is very simple: a twisted cord. Metalworking reached Mexico by the 11th century, coming from South America, perhaps through the Tarascan area. In late Postclassic times the Mixteca were goldsmiths *par excellence*.

37
Brazalete de Oro

Mixteca
Postclásico Tardío (1300-1521 D.C.)
Tumba 7 de Monte Albán, Oaxaca
I.N.A.H.: 10-105647
Alto: 2.7 cms.

Pieza de joyería hecha en técnicas de oro fundido y martillado.

38
Gold Breast Plate

Mixtec
Late Postclassic
1300-1521 A.D.
Tomb 7, Monte Albán, Oaxaca
I.N.A.H.: 10-105659
Height: 4-1/2 in.

An excellent example of the lost wax process, this pectoral represents the Mixtec god "5-Crocodile, Swallowed Sun", founder of the second dynasty of Tilantongo, famous for his reforms of the calendar. He wears an animal helmet and a bucal mask in the shape of a fleshless jawbone, symbolic of Mictlantecutli, god of the underworld.

38
Pectoral de Oro

Mixteca
Postclásico Tardío (1300-1521 D.C.)
Tumba 7 de Monte Albán, Oaxaca
I.N.A.H.: 10-105659
Alto: 11.4 cms.

Representa al rey mixteco "5 Lagarto Sol Comido" fundador de la II dinastia de Tilantongo, famoso por su reforma calendárica. Lleva un yelmo zoomorfo y una máscara bucal en forma de mandíbula descarnada, símbolo del dios de los muertos Mictlantecutli. En la parte inferior se pueden leer las fechas "año 11 Viento, día 1 Pedernal "y" año 11 Casa".

39
Gold Mask

Mixtec
Late Postclassic
1300-1521 A.D.
Tomb 7, Monte Albán, Oaxaca
I.N.A.H.: 10-105561
Height: 2-11/16 in.

This is the face of the god Xipe-Totec, (Our Lord the Flayed One) god of Spring and fertility. It represents the skin (flayed) from the face of a sacrificed man and used as a mask by the priest who impersonated the god.

39
Máscara de Oro

Mixteca
Postclásico Tardío (1300-1521 D.C.)
Tumba 7 de Monte Albán, Oaxaca
I.N.A.H.: 10-105561
Alto: 6.8 cms.

Representa al dios Xipe-Totec "nuestro señor el desollado", símbolo de la llegada de la primavera.

40
Pectoral

Mixtec
Late Postclassic
1300-1521 A.D.
Tomb 7, Monte Albán, Oaxaca
I.N.A.H.: 10-105682
Length: 22-7/16 in.

This remarkable piece of jewelry is formed by 14 threads of turquoise beads, 3 of shell, 3 of pearl and 3 of gold, tied with gold clips; from the bottom strand of beads hang tiny gold bells.

40
Peto

Mixteca
Postclásico Tardío (1300-1521 D.C.)
Tumba 7 de Monte Albán, Oaxaca
I.N.A.H.: 10-105682
Largo: 57 cms.

Esta joya está formada de 14 hilos de turquesa, 3 de concha, 3 de perla, 3 de oro, amarrados con clips de oro y rematando con cascabeles.

41
Gold Necklace

Mixtec
Late Postclassic
1300-1521 A.D.
Tomb 7, Monte Albán, Oaxaca
I.N.A.H.: 10-105693
Length: 13-1/4 in.

The elements of this necklace are formed by 16 miniature turtle shells, from each of which hang 4 tiny bells.

41
Collar de Oro

Mixteca
Postclásico Tardío (1300-1521 D.C.)
Tumba 7 de Monte Albán, Oaxaca
I.N.A.H.: 10-105693
Largo: 33.7 cms.

Formado por 16 carapachos de tortuga *Nosternum* de la especie Hirtipes. De cada carapacho penden 4 cascabeles.

Gulf Coast: Olmec, Huaxtec, and Central Veracruz
Las Culturas del Golfo

42
"The Wrestler"

Olmec
Upper Preclassic
800-500 B.C.
I.N.A.H.: 13-659/10-3157
Height: 25-3/4 in.

Since shortly after its discovery this sculpture has been called "The Wrestler"; however, its actual signification is not known. It is the finest realistic portrait we have of Olmec man and captures extraordinarily the movement and life of the human figure. It is interesting to note that since the very beginning of Mesoamerican culture there were human representations as accurately naturalistic and dynamic in attitude as this sculpture.

42
"El Luchador"

Olmeca
Preclásico Superior (800-500 A.C.)
I.N.A.H.: 13-659/10-3157
Alto: 66 cms.

El cuerpo humano fue representado por todas las culturas prehispánicas, pero ninguna de ellas lo ejecutó con el realismo de la olmeca. La representación del movimiento en las piernas y los brazos es una de sus características. El uso de la barba en los personajes es un rasgo que aparece por primera vez entre los olmecas y que después representaron otros pueblos mesoamericanos.

43
"Lord of Las Limas"

Olmec
Preclassic
1000-600 B.C.
Las Limas, Jesús Carranza, Veracruz
I.N.A.H.: MFC 000001
Height: 22-1/16 in.

This sculpture represents a seated personage with a "Jaguar Baby" on its lap. The man has symbolic motifs incised on his face, shoulders and knees. The body and face of the man are very naturalistic, but the child is more stylized because it represents a religious concept.

43
"Señor de Las Limas"

Olmeca
Preclásico (1000-600 A.C.)
Las Limas, Jesús Carranza, Veracruz
I.N.A.H.: MFC 000001
Alto: 56 cms.

Escultura en piedra que representa a un personaje sentado y sobre sus rodillas descansa un niño.

44
Colossal Head

Olmec
Preclassic
1000-600 B.C.
San Lorenzo, Veracruz
Height: 5 ft. 2 in.

Nothing is known about the use or meaning of this colossal head. The magnificent modeling of the face, with its solemn and forbidding countenance, together with the helmet he wears, suggests that this head might be the portrait of a great chief.

44
Cabeza Monumental

Olmeca
Preclásico (1000-600 A.C.)
San Lorenzo, Veracruz
I.N.A.H.: 10-157013
Alto: 157.5 cms.

Cabeza monumental en piedra. Lleva banda frontal.

45
Adolescent Huastec Male

Huastec
Postclassic
950-1521 A.D.
I.N.A.H.: 3-411/10-6501
Height: 35-13/16 in.

The Huastec people worshipped fertility. To this cult belonged these representations of adolescent men which symbolized vital energy; in the case of our sculpture this is made plain by the eagle that decorates the loin cloth. The head of this personage shows clearly the cranial deformation and dental mutilation commonly practiced by the Huastec.

45
Escultura "Adolescente Huasteco"

Huasteca
Postclásico (950-1521 D.C.)
I.N.A.H.: 3-411/10-6501
Alto: 91 cms.

Los huastecos rendían culto a la fertilidad representada en las esculturas de jóvenes adolescentes que simbolizaban la energía vital, en este caso realizada por el águila que decora su taparrabo. Observamos en esta figura la deformación del craneo y la mutilación dentaria practicada por este grupo durante la época prehispánica.

46
Ceramic Figure

Huastec
Classic
300-600 A.D.
I.N.A.H.: 3-417/77186
Height: 11-7/8 in.

Apparently Huastec people tried to represent in sculptures of this kind a type of ideal feminine beauty. The existence of this concept was rarely met among Indians of the American continent. In this sculpture the pale color of the clay helps to accentuate the purity of line.

46
Figurita en Arcilla

Huasteca
Clásico (300-600 D.C.)
I.N.A.H.: 3-417/77186
Alto: 30.1 cms.

Escasos ejemplos, fuera de la cultura huasteca, pueden contarse como sobresalientes en la ejecución de la figura humana hecha en barro; acaso no por su dinamismo, sino porque en ese material, los huastecos parecen haber intentado plasmar un tipo físico ideal, pocas veces buscado entre los pueblos del México precolombino. Esta figurilla del período clásico es un ejemplo de ello.

47
Seated Woman

Huastec
Classic
300-900 A.D.
I.N.A.H.: 3-461/77234
Height: 11-7/8 in.

This is a naturalistic representation of a Huastec woman in her usual garb. She wears only a wraparound skirt, the rest of the body is nude. Her arms are covered with the calendric name 2-Reed (repeated twice on each arm). The face and body also have painted decorations.

47
Mujer Sentada

Huasteca
Clásico (300-900 D.C.)
I.N.A.H.: 3-461/77234
Alto: 30.1 cms.

La cerámica huasteca de la época clásica tiene en sus figurillas femeninas un buen ejemplo. El barro bien pulido, de color bayo, con decoraciones hechas en pastillaje o incisas, como vemos en esta figura esbelta que parece representar un tipo físico ideal de la cultura huasteca.

48
Maize Goddess

Huastec-Mexica
Late Postclassic
1250-1521 A.D.
Castillo de Teayo, Veracruz
I.N.A.H.: 3-734/10-157014
Height: 9/16 in.

This stone sculpture represents the goddess Chicomecóatl, (7-Serpent) Goddess of Maize. She is wearing a special ceremonial dress called Amacalli (Paper House). The enormous headdress is formed by a framework of sticks covered with the complex ornamentation that can be seen on this sculpture; it was made of paper painted in various colors.

48
Diosa del Maíz

Huasteca-Mexica
Postclásico Tardío (1250-1521 D.C.)
Castillo de Teayo, Veracruz
I.N.A.H.: 3-734/10-157014
Alto: 1.47 cms.

La diosa del maíz maduro Chicomecóatl (7-Serpiente) era la patrona de los mantenimientos y se la representaba como una mujer adulta, ataviada con su típico tocado formado por una enorme armazón de varas, cubierta de papel, llamado amacalli (casa de papel).

49
Palma

Central Veracruz
Late Classic
600-1000 A.D.
I.N.A.H.: 4-206/3045
Height: 17-11/16 in.

Objects like this one have been called — only because of their shape — "palmas". They were part of the paraphernalia used in the ritual ball game, and were richly decorated, but not often as lavishly as in this case.

49
Palma

Centro de Veracruz
Clásico Tardío (600-1000 D.C.)
I.N.A.H.: 4-206/3045
Alto: 45 cms.

Las "Palmas" representaban, dentro de la simbología del juego de pelota, el elemento celeste y diurno; de ahí su frecuente representación de plumas de aves como uno de sus rasgos decorativos. El personaje arrodillado vestido como guerrero o sacrificado, tiene como fondo varias plumas y entrelaces. En la parte posterior existe la misma decoración.

50
Smiling Head

Central Veracruz
Classic
300-900 A.D.
I.N.A.H.: 4-1071/10-76424
Height: 7-11/16 in.

The headdress of this smiling figurine from Veracruz bears an *ollin* — one of Xochipilli's insignia. Only the Huastec among the cultures of Mesoamerica tried to represent a smile.

50
Carita Sonriente

Centro de Veracruz
Clásico (300-900 D.C.)
I.N.A.H.: 4-1071/10-76424
Alto: 18.6 cms.

La cultura de la época clásica del Centro de Veracruz fue la única que representó la sonrisa en figuras de barro como la que aquí vemos. Estas estaban hechas en molde, y su cuerpo estaba en posición de danza, generalmente, con los brazos levantados, algunas veces, llevan un instrumento musical en las manos. Son, sin duda, las representaciones más conocidas de Veracruz Central. Pertenecen al área de Tlalixcoyan-Tierra Blanca-Remojadas.

51
Head of a Dog

Central Veracruz
Classic
300-900 A.D.
I.N.A.H.: 4-1144/10-76510
Height: 6-1/2 in.

The dog, as mentioned earlier, was a favorite subject in Mesoamerica. Because animal sculptures were not as strictly regulated by ritual they are usually very free and show a variety of design that is not found in other forms of Prehispanic art.

51
Cabeza de Perro

Centro de Veracruz
Clásico (300-900 D.C.)
I.N.A.H.: 4-1144/10-76510
Alto: 16.6 cms.

Las representaciones de animales son frecuentes en el arte prehispánico. Las esculturas son generalmente naturalistas y frecuentemente muestran una libertad que el artista no toma en otro tipo de obras. El perro se representó en casi todas las culturas mesoamericanas tanto en barro como en piedra y en los mas diversos tamaños.

52
Standing Woman

Central Veracruz
Late Classic
600-900 A.D.
I.N.A.H.: 4-2004/79586
Height: 19-5/8 in.

Ceremonial figure wearing a scalloped hat with tasseled pendants and holding her large banded skirt — unique to this area — as if she is awaiting participation in a ritual.

52
Mujer de Pie

Centro de Veracruz
Clásico Tardío (600-900 D.C.)
I.N.A.H.: 4-2004/79586
Alto: 49.8 cms.

Las esculturas plasmaban, en un material perdurable, ciertos conceptos religiosos. Las representaciones de mujeres, diosas o sacerdotisas, asociadas al concepto de nacimiento, fueron muy frecuentes; aquí vemos este concepto expresado por un artista de la Costa del Golfo.

53
Hacha

Central Veracruz
Late Classic
600-1000 A.D.
I.N.A.H.: 4-2033/10-3046
Height: 6-5/16 in.

The *hacha* (axe), as the *palma* in number 49, was used in the ritual ball game in combination with a third object, the *yugo* (yoke). These three types of stone objects were very carefully and precisely elaborated and may be the finest examples of art that were produced by the people of Veracruz in the flourishing days of their culture.

53
Hacha

Centro de Veracruz
Clásico Tardío (600-1000 D.C.)
I.N.A.H.: 4-2033/10-3046
Alto: 16 cms.

Hacha que presenta una forma ligeramente distinta del resto de las hachas veracruzanas, posiblemente la forma se sacrificó para dar una mayor belleza al cuerpo del animal. El escultor dominó la piedra, a la cual le impuso un estilo de lineas curvas y torcidas que es característico de esta cultura y de ese momento.

54
Hacha

Central Veracruz
Late Classic
600-1000 A.D.
I.N.A.H.: 4-2051/155805
Height: 8-1/4 in.

This *hacha* represents a detached human head, probably alluding to the ritual decapitation which we know was also connected with the ball game.

54
Hacha

Centro de Veracruz
Clásico Tardío (600-1000 D.C.)
I.N.A.H.: 4-2051/155805
Alto: 21 cms.

El complejo formado por los yugos-hachas-palmas pertenece al momento de mayor apogeo artístico de la cultura del Centro de Veracruz. Todos ellos tuvieron una estrecha relación con el culto a los muertos y al Juego de Pelota; los conceptos religiosos asociados a este culto se representan en estas obras. Aquí vemos en una hacha la representación de una cabeza humana, la cual tuvo, sin duda, relación con el sacrificio por decapitación tambien asociado al juego.

55
Yugo

Central Veracruz
Late Classic
600-1000 A.D.
I.N.A.H.: 4-2102/10-40989
Length: 16-1/2 in.

The *yugo* (yoke) was placed by the ball player around his waist during the game. This particular *yugo* is shaped in the form of a toad, one of the representations of the earth.

55
Yugo

Centro de Veracruz
Clásico Tardío (600-1000 D.C.)
I.N.A.H.: 4-2102/10-40989
Largo: 42 cms.

Los "yugos" con su forma aparentemente caprichosa y su rica decoración de líneas curvas, son de las obras más representativas de la cultura clásica de Veracruz. Estas esculturas eran colocadas como ofrendas mortuorias y estaban asociadas con el juego de pelota y al culto de la tierra en su aspecto de monstruo devorador, frecuentemente representado por un sapo.

56
Jaguar Head

Central Veracruz
Classic
300-900 A.D.
I.N.A.H.: 4-2225/10-157012
Height: 9-1/16 in.

This squat variation of the *palma* represents the face of a jaguar. Shaped serpentine and shell inlays were used to accentuate its realism.

56
Cabeza de Jaguar

Centro de Veracruz
Clásico (300-900 D.C.)
I.N.A.H.: 4-2225/10-157012
Alto: 23 cms.

Las máscaras funerarias representaban la vida del muerto. En ésta se quiso perpetuar la fuerza del jaguar. El trabajo de piedra se completó, para mayor realismo, con fragmentos de concha que representaran los colmillos.

57
Seated Jaguar

Central Veracruz
Classic
300-900 A.D.
I.N.A.H.: 4-3012/10-135980
Height: 16-15/16 in.

From Olmec times the jaguar, which had a predominant role in religion, was often and diversely represented. It was considered a symbol of the fertility of the earth and, as such, was worshipped in a variety of ways.

57
Jaguar Sentado

Centro de Veracruz
Clásico (300-900 D.C.)
I.N.A.H.: 4-3012/10-135980
Alto: 43 cms.

El jaguar tuvo en la civilización mesoamericana un lugar preponderante entre los animales divinizados; desde la cultura olmeca que lo unía a un concepto de tierra fértil, hasta la cultura mexica que lo consideró el dios de las cuevas, fue objeto de numerosas y distintas representaciones. El escultor veracruzano dio al barro cierta gracia y un aliento de vida que no existe en otras obras mesoamericanas relacionadas con el tema.

58
Seated Woman

Central Veracruz
Postclassic
900-1200 A.D.
I.N.A.H.: 4-3113/10-136221
Height: 35-7/16 in.

This sculpture represents a woman seated on the floor, wearing a skirt, ribbon necklace, and an elaborate ritual headdress. The two ends of her belt are serpent heads. Because of its size and superb quality of modeling, it is probable that this piece was a goddess worshipped at a temple.

58
Mujer Sentada

Centro de Veracruz
Postclásico (900-1200)
I.N.A.H.: 4-3113/10-136221
Alto: 90 cms.

Escultura hueca en barro; las mujeres muertas al dar a luz eran consideradas como guerreros caídos en combate, lo cual les otorgaba el honor de acompañar al sol en la segunda mitad de su curso diario. A estas mujeres se las llamaba Cihuateteo y se las representaba con un cinturón de serpientes, la cara pintada y el pecho desnudo.

Maya

59
Glyphs in Stucco

Maya
Late Classic
600-900 A.D.
I.N.A.H.: 5-28/10-1229
Height: 7-1/8 in.

In monumental inscriptions the Maya had a tendency to convert the characters of their writing into the heads or even the total image of animals or men. To this style belongs this glyph from the so-called Templo Olvidado (Forgotten Temple) in Palenque, Chiapas. Though there is some doubt, because of the condition of the glyphs, this cartouche apparently means *10 days*.

59
Glifos en Estuco

Maya
Clásico Tardío (600-900 D.C.)
I.N.A.H.:5-28/10-1229
Alto: 18.1 cms.

Una de las formas de la escritura maya es conocida con el nombre de "variantes de cabeza" porque cada glifo está representado por rostros de perfil, humanos o de animales. Este cartucho con dos glifos pertenece a una inscripción del Templo Olvidado de Palenque, Chiapas.

60
Standing Man

Maya
Late Classic
600-900 A.D.
I.N.A.H.: 5-978/136900
Height: 8-1/16 in.

Most Maya clay figures were mold-made. This one however is modeled by hand with excellent anatomical proportions and is a very naturalistic representation of a standing man. The motifs on the left side of the face identified him with a specific social category.

60
Hombre de Pie

Maya
Clásico Tardío (600-900 D.C.)
I.N.A.H.: 5-978/136900
Alto: 20.5 cms.

Aunque las figurillas hechas con molde abundan más, también las hicieron a mano. Esta figurilla es un excelente ejemplo de la destreza que alcanzaron los mayas para reproducir el cuerpo humano con gran sentido de la proporción y la armonía anatómica. Además, en la mejilla izquierda se observan las escarificaciones que usaron para embellecerse, señalar rango o diferenciarse de otros grupos.

61
The Fat God

Maya
Late Classic
600-900 A.D.
I.N.A.H.: 5-1013/78645
Height: 5-11/16 in.

This mold-made figurine, from the Jaina necropolis, is a representation of the Fat God who was widely worshipped during the transition from Classic to Postclassic times. This figurine incorporates a whistle in the base of the tripod support.

61
Dios Gordo

Maya
Clásico Tardío (600-900 D.C.)
I.N.A.H.: 5-1013/78645
Alto: 14.5 cms.

La Isla de Jaina, frente a la costa de Campeche, fue una necrópolis maya. En las tumbas hay ofrendas de vasijas, figurillas y adornos de concha y otros materiales. Esta figurilla-silbato modelada en barro, representa a un anciano gordo, que viste un traje de plumas y sostiene un abanico. Con gran realismo están logrados los rasgos de su cara, en la que destacan sus arrugas, dientes y mejillas mofletudas.

62
Sitting Woman

Maya
Late Classic
600-900 A.D.
I.N.A.H.: 5-1021/78641
Height: 8-7/8 in.

This finely modeled figurine represents a full grown Maya woman and shows the typical cranial deformation (frontal occipital flattening) which the Maya practiced in common with the peoples of the Gulf Coast.

62
Mujer Sentada

Maya
Clásico Tardío (600-900 D.C.)
I.N.A.H.: 5-1021/78641
Alto: 22.5 cms.

Entre las deformaciones artificiales que practicaron los mayas con la idea de embellecerse, la más frecuente fue la deformación craneana de tipo fronto-occipital. Según los datos históricos, esto lo lograban comprimiendo la cabeza con dos tablillas sujetas por cuerdas, cuando eran muy pequeños. Esta figurilla femenina modelada es un excelente ejemplo de este tipo de deformación, así como de algunos de los rasgos físicos característicos de ese pueblo.

63
Stone Plaque

Maya
Late Classic
600-900 A.D.
I.N.A.H.: 5-1108/136922
Height: 32-7/8 in.

This stone plaque from Oxkintok, Yucatán, was an architectonic element probably used as a door jamb. It is the representation of a priest wearing a necklace, formed by an enormous knot of cord hanging from his neck, and on his head, a feathered animal-head helmet. He looks toward an inscription of a type that cannot yet be read.

63
Lápida en Relieve

Maya
Clásico Tardío (600-900 D.C.)
I.N.A.H.: 5-1108/136922
Alto: 83.5 cms.

Elementos arquitectónicos, como jambas, lápidas y columnas, fueron utilizados para representar asuntos profanos y religiosos. En esta lápida hallada en Oxkintok, Yucatán, está un personaje importante, a juzgar por su atavío, en el que destaca su gran tocado compuesto por una cabeza de animal y penachos de plumas.

64
Partly Masked Human Head

Maya
Protoclassic
100 B.C.-200 A.D.
I.N.A.H.: 5-1117/157018
Height: 11-1/2 in.

The body of this jar represents a human head that is covered by a partial mask. It has been suggested that this mask with its oversized open mouth might be an early representation of the Wind God.

64
Vaso de Izapa

Maya
Proto-Clásico (100 A.C. - 200 D.C.)
I.N.A.H.:5-1117/157018
Alto: 29.2 cms.

Vasija-efigie con la posible representación de un dios relacionado con el viento; representa una cara humana que usa máscara facial parcial — de la naríz para abajo — de aspecto simiesco, con la boca abierta y mostrando los dientes; presenta perforación del séptum y decoración a base de pintura ocre y roja, sobre las cejas, en la máscara y en el cuello de la vasija. Además usa orejeras.

65
Vase

Maya
Late Classic
600-900 A.D.
I.N.A.H.: 5-1150/76895
Height: 5-1/2 in.

This Maya vase is decorated with cartouches containing symbolic motifs and bands of feathers in two layers. The decoration is deeply cut and the color added, after firing, by the addition of a colored paste.

65
Vasija

Maya
Clásico Tardío (600-900 D.C.)
I.N.A.H.: 5-1150/76895
Alto: 14.0 cms.

Vaso maya con motivos simbólicos, obtenidos raspando hondamente la superficie de la pieza.

66
Sitting Personage

Maya
Late Classic
600-900 A.D.
I.N.A.H.: 5-1411/78186
Height: 8-7/16 in.

An important personage dressed in elaborate garb is seated on a type of cylindrical throne. He probably represents the type of chief the Maya called "Halach-Uinic" (True Man): the highest grade of civic authority. His headdress is an enormous serpent head with its mouth open, backed by a feather fan.

66
Figurilla Sentada

Maya
Clásico Tardío (600-900 D.C.)
I.N.A.H.: 5-1411/78186
Alto: 21.5 cms.

La antigua sociedad maya estuvo dividida en clases sociales y a la cabeza estaba el Halach-Uinic, el "Hombre verdadero"; esta figurilla hallada en Jaina, representa probablemente a un gran jefe civil sentado en una especie de trono circular, con elaborada indumentaria en la que destaca su espléndido tocado formado por la parte superior de una cabeza de serpiente y penachos de plumas desplegadas en abanico.

67
Standing Lady

Maya
Late Classic
600-900 A.D.
I.N.A.H.: 5-1418/78656
Height: 8-3/7 in.

A woman of the upper classes wears an elaborate ceremonial costume; her elegantly dressed hair is decorated with jewels, her face bears the decorations that identify her position. Only two beads of her necklace remain. This figure retains much of the blue and white paint usual to this type of figurine.

67
Dama de Pie

Maya
Clásico Tardío (600-900 D.C.)
I.N.A.H.: 5-1418/78656
Alto: 21.2 cms.

A juzgar por su atavío y adorno, la mujer aquí representada pertenecía a la clase social privilegiada. Destacan su alto y complicado tocado y la decoración facial a base de escarificaciones.

68
Feathered Serpent

Maya
Early Postclassic
900-1250 A.D.
I.N.A.H.: 5-1424/9793
Height: 35-7/16 in.

This architectonic element represents the feathered serpent which the Maya called Kukulcán. It is one of the elements brought to the Mayan area by the northern conquerors in this period and is executed in pure Toltec style. From the shape of the object it is impossible to deduce its exact placement on the structure to which it belonged.

68
Serpiente Emplumada

Maya
Postclásico Temprano (900-1250 D.C.)
I.N.A.H.: 5-1424/9793
Alto: 90.0 cms.

Aunque el motivo de la serpiente es frecuente en el arte maya desde épocas antiguas, esta serpiente simboliza la presencia de grupos del altiplano — los toltecas — en la zona norte maya. En el siglo X llegaron a Yucatán capitaneados por Quetzalcóatl, "La Serpiente Emplumada" — que los mayas tradujeron por Kukulcán — y establecieron su capital en Chichén Itzá, desde donde irradió su poder y su influencia cultural.

69
Ball Player

Maya
Late Classic
600-900 A.D.
I.N.A.H.: 5-1390/78165
Height: 8-3/8 in.

For the ritual ball game the players wore very specialized apparel. This Mayan costume is relatively unadorned, consisting mainly of a single, bulky protective garment, probably made of leather.

69
Jugador de Pelota

Maya
Clásico Tardío (600-900 D.C.)
I.N.A.H.:5-1390/78165
Alto: 12.8 cms.

El juego de pelota, más que tener un carácter deportivo o de recreo, estuvo estrechamente relacionado con las creencias religiosas y las prácticas rituales; no estaba permitido el utilizar las manos, sino que se golpeaba la pelota con el codo, la cadera y la rodilla. Este jugador está ataviado con los protectores usados en esas partes del cuerpo y su actitud, plena de dinamismo, parece indicarnos el momento de golpear a la pelota.

70
"Chac-Mool"

Maya
Early Postclassic
900-1250 A.D.
I.N.A.H.: 5-1426/9794
Height: 44-1/2 in.

This important reclining figure supports a tray of offerings in his hands. Such a sculpture was placed in front of a temple and is usually called a "Chac-Mool". This is only a modern Mayan descriptive term; its actual Precolumbian name is unknown.

70
"Chac-Mool"

Maya
Postclásico Temprano (900-1250 D.C.)
I.N.A.H.: 5-1426/9794
Alto: 1.13 m.

Una de las esculturas más extraordinarias de la época de influencia tolteca en Yucatán, es ésta del tipo conocido como Chac-Mool. Este personaje semirecostado ha sido interpretado como una especie de mensajero encargado de llevar las ofrendas a los dioses, mismas que eran depositadas en el plato que tiene sobre el vientre y que parece sujetar con ámbas manos.

71
Lintel

Maya
Late Classic
756 A.D.
I.N.A.H.: 5-1774/80371
Length: 74 in.

The Maya lavishly decorated the lintels of their temple doors. The reliefs usually portrayed important events of their religious life accompanied by explanatory texts. Here two high priests in extremely complex garb stand facing each other; at the right the more important of the two holds an elaborate "mannequin axe". This is lintel number 58 from Yaxchilan, Chiapas.

71
Dintel

Maya
Clásico Tardío (756 D.C.)
I.N.A.H.: 5-1774/80371
Largo: 1.88 m.

En los últimos años, los dinteles de Yaxchilán, Chiapas, han adquirido una extraordinaria importancia; el estudio de sus inscripciones jeroglíficas, de los motivos escultóricos asociados con ellos, así como la distribución de los monumentos y templos de los que formaban parte, han permitido el desciframiento de algunos nombres de personajes y eventos históricos. En este dintel, No. 58 de Yaxchilán, están dos personajes importantes del linaje jaguar, sosteniendo sus símbolos de poder.

72
Funerary Urn

Maya
Late Classic
600-900 A.D.
I.N.A.H.: 5-2784/136904
Height: 37 in.

It is often said that these objects are incense burners. This particular example, which has a structure analogous to a totem pole, is a representation of the face of the Sun God (Kinich-Ahau) with a very complex headdress formed by a tier of helmets in the shape of animal heads; the fins at both sides of the cylindrical part have at their upper ends small effigies of bird-headed men.

72
Urna Funeraria

Maya
Clásico Tardío (600-900 D.C.)
I.N.A.H.: 5-2784/136904
Alto: 94 cms.

Las ceremonias a los dioses tenían gran importancia en la vida de los mayas. Este tubo cilíndrico fue posiblemente utilizado como un soporte, sobre el cual se colocaba un plato para quemar copal (incienso mexicano), elemento indispensable para las ceremonias. Representa la cara del Dios Solar, Kinich Ahau, enmarcada por mascarones de seres fantásticos, al parecer aves estilizadas.

73
Stucco Head

Maya
Late Classic
600-900 A.D.
I.N.A.H.: 5-3677/136897
Height: 9 13/16 in.

The Maya freely used stucco elements like this head to decorate the facades of their temples. The extremely large ear ornaments are unusual in this case.

73
Cabeza Humana en Estuco

Maya
Clásico Tardío (600-900 D.C.)
I.N.A.H.: 5-3677/136897
Alto: 25 cms.

Los mayas empleron el estuco como un elemento para decorar sus edificios; con él modelaron figuras de deidades y personajes importantes. Esta máscara representa a uno de ellos adornado con grandes orejeras circulares.

74
Polychrome Bowl

Maya
Late Classic
600-900 A.D.
I.N.A.H.: 136896
Height: 3-1/4 in.

These elaborately ornamented vessels were used exclusively as ritual objects in temples. At the bottom of this bowl we have a highly stylized representation of the *guacamaya* which, in Mayan mythology, is one of the aspects of the Sun God.

74
Plato Polícromo

Maya
Clásico Tardío (600-900 D.C.)
I.N.A.H.: 136896
Alto: 8.3 cms.

En la cerámica ceremonial los mayas plasmaron también animales, flores y frutos, sobre todo aquellos relacionados con sus creencias religiosas. La guacamaya estaba relacionada con el sol en la mitología y constituye la decoración central de este plato polícromo.

75
Polychrome Vase

Maya
Late Classic
600-900 A.D.
I.N.A.H.: 136898
Height: 6-3/16 in.

This vase demonstrates the high artistic and technical ability of the Mayan ceramists. Polychrome representations of ceremonial events, with personages dressed so that we may identify their social position, are elegantly painted on bowls and vases such as this one.

75
Vaso Polícromo

Maya
Clásico Tardío (600-900 D.C.)
I.N.A.H.: 136898
Alto: 15.4 cms.

Los mayas fueron grandes alfareros. Entre sus cerámicas destacan los vasos polícromos con escenas con personajes, cuya variedad, elegancia o sencillez de su indumentaria, así como el dinamismo de sus actitudes permite identificar el nivel social de los personajes representados, como se puede observar en este vaso.

76
Phytomorphic Bowl

Maya
Late Classic
600-900 A.D.
I.N.A.H.: 136899
Height: 5-1/4

The shape of the lower part of this bowl is a stylized seven-petaled flower. The upper part has three bands of simple linear decoration. It is softly and ably modeled and the smoothness of its surface is an integral part of its design.

76.
Vaso Fitomorfo

Maya
Clásico Tardío (600-900 D.C.)
I.N.A.H.: 136899
Alto: 13.3 cms.

La decoración de este vaso maya consiste en una sobria estilización de una flor abierta de siete pétalos; arriba tiene tres franjas con motivos geométricos.

77
Bowl with Glyphs

Maya
Late Classic
600-900 A.D.
I.N.A.H.: 5-3255/157017
Height: 3-9/16 in.

Circling the central bold black spiral is an inscription formed with Mayan glyphs of the normal and the head types. This piece is an outstanding example of the elegance achieved by Mayan artists.

77
Plato con Glifos

Maya
Clásico Tardío (600-900 D.C.)
I.N.A.H.: 5-3255/157017
Alto: 9 cms.

Durante la época de máximo desarrollo culural, los mayas realizaron inscripciones jeroglíficas no solo en estelas, dinteles y otros elementos arquitectónicos, sino también en su cerámica. Este plato, de forma un tanto atípica, nos muestra como decoración un diseño negro en espiral, sobre el engobe anaranjado rojizo, circundado por una banda de glifos del tipo normal o geométrico y tambien de las "variantes de cabeza".

Western Mexico
El Occidente de México

78
Sitting Woman

Nayarit
Classic
100 B.C. - 650 A.D.
I.N.A.H.: 2.2.667/78140
Height: 27-9/16 in.

This magnificent ceramic sculpture represents a woman in a traditional position of giving birth. It was found in a deep shaft tomb. The name popularly given to objects of this style is "chinesco" (Chinese), a name adopted now even in technical publications.

78
Escultura Femenina en Arcilla

Nayarit
Clásico (100 A.C. - 650 D.C.)
I.N.A.H.: 2.2.667/78140
Alto: 70 cms.

Figura "chinesca" de una mujer en el acto divino del parto; con característica deformación craneana. Se encontró en una "tumba de tiro", espectacular sepulcro excavado a varios metros de profundidad.

79
A Pair of Ducks

Colima
Classic
200-650 A.D.
I.N.A.H.: 10-157016
Height: 6-11/16 in.

Colima artists enjoyed representing the animals and plants of their region. The pair of ducks that form the body of this vessel is perfectly accurate from a naturalistic standpoint. Of the relatively few known vessels representing paired animals, this example is thought to be the finest.

79
Vasija de Dos Patos

Colima
Clásico (200-650 D.C.)
I.N.A.H.: 10-157016
Alto: 17 cms.

Los artistas de Colima se deleitaban representando la flora y la fauna de su medio ambiente que reproducían con un extraordinario realismo. Sin embargo junto con la realidad siempre se pone de manifiesto el significado esotérico que atribuían a los animales. Estos dos patos gemelos, tan bien hechos que se puede identificar su especie zoológica, son a la vez el símbolo del alma de los antepasados y representan la dualidad siempre presente en la religión mesoamericana.

80
Seated Woman

Jalisco
Classic
100 B.C. - 650 A.D.
I.N.A.H.: 136902
Height: 24-5/8 in.

This exceptionally large sculpture represents a woman sitting on a stool, holding a vase in her right hand. The garment she wears is painstakingly rendered by painting. This piece and number 78 are of a kind that was used by the builders of the shaft tombs, as companions for the dead, perhaps even in the other world.

80
Mujer Sentada

Jalisco
Clásico (100 A.C. - 650 D.C.)
I.N.A.H.: 136902
Alto: 62.5 cms.

El culto a los antepasados que rindieron en forma tan especial los constructores de las "tumbas de tiro" — antiguos habitantes de Jalisco, Nayarit y Colima — es evidente por la cantidad de objetos de excepcional belleza que colocaron junto a sus muertos. Esta escultura hierática en cerámica es una de sus obras maestras.

81
Warrior

Jalisco
Classic
100 B.C.-650 A.D.
I.N.A.H.: 136895
Height: 14-3/16 in.

This warrior is sitting on a stool. He is wearing cylindrical wooden armor and a conical wooden helmet; in his hands he holds a war club.

81
Guerrero

Jalisco
Clásico (100 A.C. - 650 D.C.)
I.N.A.H.: 136895
Alto: 36 cms.

Muchas figuras similares a ésta han sido identificadas como representación de un guerrero: lo que permite suponer que la guerra era un hecho normal entre los grupos que habitaban el Occidente de México. Este personaje, decorado con vistosa policromía, muestra el atuendo usado por los guerreros de la época: sobre el cuerpo desnudo usaban una coraza cilíndrica y la cabeza estaba cubierta por un gorro. Para fines mágicos se pintaban el rostro y se adornaban con collares y orejeras; en la mano llevaban una macana.

82
Stirrup-Handled Vessel

Tarasca
Late Postclassic
1200-1521 A.D.
I.N.A.H.: 136907
Height: 8-11/16 in.

Another group with excellent ceramists, the Tarascans, was the last to inhabit the central Michoacán lake area before the conquest. Most of the highly finished vessels, like this one, were used as funerary offerings.

82
Vasija Cuadrada con Asa de Estribo

Tarasca
Postclásico Tardío (1200-1521 D.C.)
I.N.A.H.: 136907
Alto: 22 cms.

El pueblo tarasco, que habitó tardíamente en la región lacustre de Michoacán, fue el más destacado del Occidente de México y por su carácter militar y expansionista es equiparable al azteca. Entre sus múltiples artesanías destaca la alfarería. Muestra de ello es esta extraordinaria vasija polícroma en forma de cuadrángulo.

83
Stirrup-Handled Vessel

Tarasca
Late Postclassic
1200-1521 A.D.
I.N.A.H.: 10-157015
Height. 5-1/2 in.

One area of Mexico that shows a definite influence from South America is the Michoacán state of later pre-conquest days. A clear example of such influence is this vessel which has a stirrup handle identical to the ones used in Peru.

83
Vasija Redonda con Asa de Estribo

Tarasca
Postclásico Tardío (1200-1521 D.C.)
I.N.A.H.: 10-157015
Alto: 14 cms.

Las influencias del Sur de América, llegadas probablemente por vía marítima, son evidentes sobre todo en la metalurgia y en la cerámica. Los pueblos de la costa del Occidente de México las asimilaron y supieron diseñar nuevas formas según su sensibilidad y buen gusto. En esta vasija tarasca el asa de estribo, de origen sureño, ha sido transformada en un elemento decorativo de extraordinaria elegancia.

84
Vessel Decorated with Peyotes

Colima
Classic
200 B.C. - 650 A.D.
I.N.A.H.: 2-4-30/57464
Height: 6-15/16 in.

Very common in the Colima area are vessels that combine, as this one does, a utilitarian function with an ornamental purpose. The neck of this *olla* is decorated with a row of peyote plants.

84
Vasija Decorada con Péyotl

Colima
Clásico (200 D.C. - 650 D.C.)
I.N.A.H.: 2.4-30/57464
Alto: 17.7 cms.

En la cerámica de Colima son muy frecuentes las piezas que aunan la estricta realidad visual con aspectos rituales. Esta vasija, además de la elegancia de su forma, es sumamente interesante ya que está decorada con una banda de péyotl, una cactácea que desde los tiempos prehispánicos hasta nuestros días, ha sido usada como alucinógeno en las ceremonias magicorreligiosas de los pueblos del Occidente de México.

85
Reclining Dog

Colima
Classic
200-650 A.D.
I.N.A.H.: 2.4-318/77606
Height: 5-9/16 in.

The Colima potters reached perhaps their maximum refinement of expression when they executed these sculptures of dogs, with simple and masterfully smooth surfaces which give to their work almost the appearance of life. Sculptures of dogs were made literally by the thousands and an extraordinary proportion of them is of very high quality.

85
Perro Recostado

Colima
Clásica (200-650 A.C.)
I.N.A.H.: 2.4-318/77606
Alto: 14.1 cms.

Los artistas alfareros de Colima alcanzaron su máxima expresión de refinamiento plástico en la ejecución de figuras de perros; con lineas simples y maestría anatómica incomparable, lograron un realismo que ninguna otra cerámica de Mesoamérica pudo expresar. El perro tenía un destacado papel en los conceptos magicorreligiosos de los pueblos prehispánicos ya que era el animal que acompañaba y ayudaba a los muertos en su viaje hacia el inframundo: por esta razón, cuando un individuo moría se mataba un perro de color rojizo que se enterraba junto con su dueño.

86
Standing Woman

Chupícuaro
Late Preclassic
600-100 B.C.
I.N.A.H.: 44661
Height: 4-11/16 in.

In Preclassic times the cult of fertility of the earth was magically identified with the fertility of women. That is perhaps why in this area we find so often these feminine figurines with oversized breasts.

86
Mujer de Pie

Chupícuaro
Preclásico Superior (600 - 100 A.C.)
I.N.A.H.: 44661
Alto: 12 cms.

En la época preclásica el culto a la fertilidad de la tierra se identificó mágicamente con la fecundidad de la mujer. En esta figurilla de mujer encinta y de pechos exuberantes se manifiesta este culto mágico.

87
Standing Woman

Guerrero
Late Preclassic
600-100 B.C.
I.N.A.H.: 2.6-234/57919
Height: 6-3/4 in.

For reasons unknown to us, in the lowlands of the State of Guerrero this peculiar style of figurine was evolved. The upper part of the head is manneristically elongated.

87
Mujer de Pie

Guerrero
Preclásico Tardío (600 - 100 A.C.)
I.N.A.H.: 2.6-234/57919
Alto: 17.2 cms.

La preocupación de los pueblos agricultores del preclásico por obtener buenas cosechas, los llevó a crear el culto a la fertilidad. La mujer, fecunda por excelencia, se identifica en toda Mesoamérica con este culto. En el estilo particular de esta figurilla de barro de la Costa de Guerrero, se exalta y acentúa poderosamente la deformación craneana.

88
Sitting Woman

Nayarit
Classic
100 B.C.-650 A.D.
I.N.A.H.: 2.5-523/77865
Height: 11-9/16 in.

Through this figurine we can know, at least partially, the ideal of feminine beauty in the culture of Nayarit. Women wore plain, short skirts made of very rich fabric. They almost completely covered their naked torsos with very elaborate polychrome paintings and further adorned themselves with ear plugs, nose plugs, and necklaces of stone and shell beads.

88
Mujer Sentada

Nayarit
Clásico (100 A.C. - 650 D.C.)
I.N.A.H.: 2.5-523/77865
Alto: 29.4 cms.

A través de la gran policromía de esta figura se puede conocer el ideal estético de las mujeres de Nayarit: usaban ricas telas para sus faldas y, con fines mágicos, se adornaban con orejeras, pulsera, collar y nariguera; se sujetaban el pelo con una banda de tela y se pintaban las uñas y el pecho.

89
Polychrome Bowl

Tarascan
Late Postclassic
1200-1521 A.D.
I.N.A.H.: 136908
Height: 5-1/8 in.

This small tripod bowl shows clearly the very elaborate technique developed by the Tarascan potters by the time of the conquest. It is carefully decorated in a polychrome combination of negative and positive painting techniques.

89
Vasija con Decoración Negativa y Policroma

Tarasca
Postclásico Tardío (1200-1521 D.C.)
I.N.A.H.: 136908
Alto: 13 cms.

La maestría de los ceramistas tarascos queda patente en este cuenco de grandes patas-sonajas, que indican el carácter ritual pluviógeno de la vasija. Nótese la buena armonía entre el cuenco y los enormes cascabeles en que se apoya.

89A
Ceramic Sculpture
(not in exhibition)

Colima
Classic
100 B.C. - 650 A.D.
I.N.A.H.: 136892
Height: 7-11/16 in.

A standing man fully dressed with his right hand to his helmet is strikingly distinguished by the enormous size of his ear ornaments.

89A.
Escultura Cerámica
(no se presenta en la exposición)

Clásico
100 A.D.-650 D.C.
Colima
I.N.A.H.: 136892
Alto: 19.5 cm.

Personaje completamente vestido, llevando la mano derecha a su casco. Es notable el enorme tamaño de sus orejeras.

Mezcala

90
Seated Man

Mezcala
Early Postclassic
900-1200 A.D.
I.N.A.H.: 2.6-634/79776
Height: 4-1/4 in.

In the Mezcala region of the State of Guerrero, a great number of cave burials were found which contained thousands of small stone sculptures that had been deposited as funerary offerings. Most of them were human representations, but there was also a significant number of sculptures representing all kinds of objects - animals, plants, temples, tools, masks, etc. From this group is the excellent stylized representation of a sitting hunchback.

90
Hombre Sentado

Mezcala
Postclásico Temprano (900-1200 D.C.)
I.N.A.H.: 2.6.634/79776
Alto: 10.8 cms.

Representa el bulto mortuorio de un sacerdote jorobado, tal vez figuración del dios viejo y del fuego. Pocas veces en la historia de la escultura se logró expresar una visión interior más intensa.

91
Mask

Mezcala
Early Postclassic
900-1200 A.D.
I.N.A.H.: 2.6-461/10-58152
Height: 6-5/16 in.

Characteristic of masks from the Mezcala caves area, like most of the pieces from the graves, is a very elegant simplicity. The mass production of these objects at a price affordable by the majority is at least a partial explanation for the style.

91
Máscara

Mezcala
Postclásico Temprano (900-1200 D.C.)
I.N.A.H.: 2.6-461/10-58152
Alto: 16 cms.

Los artistas de Mezcala, en el actual Estado de Guerrero, se esmeraron en el tallado de máscaras para uso funerario. Trabajaron todo tipo de piedra y con pocos trazos supieron expresar magistralmente el destino final del hombre.

92
Mask

Mezcala
Early Postclassic
900-1200 A.D.
I.N.A.H.: 2.6-463/10-58156
Height: 5-11/16 in.

This mask from the Mezcala area is made from a special type of translucent alabaster (aragonite) which is found abundantly in the States of Guerrero and Puebla. Notice the extreme simplification of facial traits.

92
Máscara

Mezcala
Postclásico Temprano (900-1200 D.C.)
I.N.A.H.: 2.6-463/10-58156
Alto: 14.5 cms.

El tecalli — mármol traslúcido parecido al alabastro — fue usado frecuentemente para el tallado de máscaras funerarias y su color claro debe haber sugerido al artista el hierático rostro de difunto.

93
Funerary Mask

Mezcala
Early Postclassic
900-1200 A.D.
I.N.A.H.: 2.6-493/58175
Height: 5-3/8 in.

This stone mask shows clearly the very elegant result of the economy of means employed in sculptures from Mezcala.

93
Máscara Funeraria

Mezcala
Postclásico Temprano (900 - 1200 D.C.)
I.N.A.H.: 2.6-493/58175
Alto: 13.7 cms.

La destreza en el tallado de piedras duras, aunado a un arte abstracto y elegante, se conjugan en forma inigualable en esta máscara. Es un elemento importante en el culto a los muertos de la región de Mezcala y fue atada sobre la cara del difunto, preparado de antemano como bulto mortuorio. Está esculpida en serpentina.

94
Miniature of a Temple

Mezcala
Early Postclassic
900-1200 A.D.
I.N.A.H.: 2.6-498/58190
Height: 6-1/4 in.

This miniature represents a temple built upon a pyramid. The lower part of the sculpture is a completely simplified representation of the pyramid; the only easily recognizable element is the stairway at the center. Of the temple itself, we have only four columns and a horizontal element representing the roof.

94
Maqueta de Templo

Mezcala
Postclásico Temprano (900 - 1200 D.C.)
I.N.A.H.: 2.6-498/58190
Alto: 15.9 cms.

En numerosas regiones de Mesoamérica las maquetas de templos son un testimonio objetivo de su arquitectura. El carácter ritual de esta maqueta se confirma por haber sido colocada como ofrenda mortuoria. Está tallada en serpentina y destaca por la sencillez y limpieza de sus líneas.

95
Standing Figure

Mezcala
Early Postclassic
900-1200 A.D.
I.N.A.H.: 10-157020
Height: 8-7/16 in.

These stone figurines were made from previously fabricated stone axes. The finish of this particular example is much better than average. Its size, too, is extraordinary, as the great majority of figurines of this type are under ten centimeters high.

95
Penate Masculino

Mezcala
Postclásico Temprano (900 - 1200 D.C.)
I.N.A.H.: 10-157020
Alto: 21.4 cms.

Desde las épocas más antiguas se han encontrado junto a los difuntos unas figuritas antropomorfas de piedra conocidas como "penates". En la lapidaria del Estado de Guerrero los penates alcanzan una importancia extraordinaria ya que la maestría de los artistas hizo de estas piezas verdaderas esculturas caracterizadas por la sencillez de sus rasgos.

96
Standing Figure

Mezcala
Early Postclassic
900-1200 A.D.
I.N.A.H.: 2.6-376/58065
Height: 8-1/8 in.

We can consider explicitly feminine figures from the Mezcala area as great rarities. This one very probably formed a pair with the male figure No. 95.

96
Penate Femenino

Mezcala
Postclásico Temprano (900 - 1200 D.C.)
I.N.A.H.: 2.6-376/58065
Alto: 20.5 cms.

Los penates, — figuritas de piedra que eran colocadas como acompañantes de los muertos-, generalmente eran representados asexuados. Excepcionalmente en esta figura están marcados los atributos femeninos, haciendo de esta escultura una pieza única dentro de la lapidaria funeraria de la cultura de Mezcala.

97
Necklace

I.N.A.H.: 20-734/9689

Mesoamerican stone jewelers used largely green stones of all varieties, equating the value of the object with its hardness in relation to jade at the upper end of the scale. This necklace is formed by fourteen tubular and eleven spherical beads: the pendant at its center represents an extremely simplified human face.

97
Collar

I.N.A.H.: 20-734/9689

Los lapidarios mesoamericanos, desde el preclásico, se distinguieron por su gusto de objetos de adorno en piedras verdes, que van desde la jadeíta hasta gran variedad de mármoles. Este collar está formado por 14 cuentas tubulares y 11 esféricas que remata en un pendiente antropomorfo.

98
Jadeite Ear Ornaments

I.N.A.H.: 20-1568/20-1569/10-157022
Diameter: 1-3/16 in.

These objects were used as ornaments for the ear, and during early and classic times, such ornaments were often made in flower shapes.

98
Orejeras de Jadeita

I.N.A.H.: 20-1568/20-1569/10-157022
Diám.: 3 cms.

Los pueblos mesoamericanos gustaban de adornos de varios tipos, destacando las orejeras en forma de flor, hechas en jadeita.

99
Pendant
Maya (?)

Classic
300-900 A.D.
I.N.A.H.: 20-1559/10-157021
Length: 1-3/4 in.

This pectoral pendant represents the face of a man who wears ear plugs, a necklace, and a high headdress.

99
Pendiente
Maya (?)

Clásica (300 - 900 D.C.)
I.N.A.H.: 20-1559/10-157021
Largo: 4.5 cms.

Es antropomorfo y está hecho en piedra verde.

100
Gourd-Shaped Bead

I.N.A.H.: 20-396/10-821
Height: 7/8 in.

100
Cuenta en Forma de Calabaza

I.N.A.H.: 20-396/10-821
Alto: 2.2 cms.

1
Sacral Bone from Tequixquiac
Hueso Sacro de Tequixquiac

2
Female Figurine *Tlatilco*
Figurilla Femenina

3
Duck *Tlatilco*
Pato

4
Acrobat *Tlatilco*
Acróbata

6
Shaman *Tlatilco*
Figurilla de Shamán

5
Mask *Tlatilco*
Máscara

7
Seated Baby   *Olmec*
Figurilla Hueca Sedente

8
Inlaid Mask   *Teotihuacan*
Máscara en Piedra

9
Cylindrical Tripod Vessel *Teotihuacan*
Vaso Cilíndrico Trípode

11
Tripod Vase with Cover *Teotihuacan*
Vaso Trípode con Tapadera

10
Frescoed Tripod Vase *Teotihuacan*
Vaso Cilíndrico con Decoración al *Secco*

12
Ceramic Mask   *Teotihuacan*
Máscara en Arcilla

13
Reclining Canine   *Teotihuacan*
Perro Recostado

15
Mouth of Tlaloc   *Teotihuacan*
Boca de Tlaloc

14
Fragment of a Mural Painting   *Teotihuacan*
Fragmento de Pintura Mural

16
Stele 3 from Xochicalco
Estela 3 de Xochicalco

18
Stone Atlante   *Toltec*
Atlante que Representa un Guerrero

17
Coyote Jar   *Toltec*
Coyote

19
Face Panel *Toltec*
Lápida en Relieve

20
Jaguar *Mexica*

21
Feathered Coyote *Mexica*
Coyote Emplumado

22
Coiled Feathered Snake   *Mexica*
Serpiente Emplumada

23
Human Torso   *Mexica*
Escultura Antropomorfa

24
Tlacuache *Mexica*

25
Goddess of Maize *Mexica*
Diosa del Maíz

26
Xilonen Brazier *Mexica*
Brasero con Xilonen

27
Ceramic Smoking Pipe   *Mexica*
Pipa en Forma de una Guacamaya

28
Deified Woman   *Mexica*
Mujer Deificada

29
Earth God   *Mexica*
Dios de la Tierra

30
Serpent Head *Mexica*
Cabeza de Serpiente

31
Dog Head *Mexica*
Cabeza de Perro

32
Smoking Pipe *Mexica*
Pipa con Cabeza de Buho

33
Jaiba Crab   *Mixtec*
Jaiba

34
Ceramic Funerary Urn   *Zapotec*
Urna en Cerámica

35
Bat God   *Zapotec*
Dios Murciélago

36
Tripod Vessel *Mixtec*
Vasija Trípode

37
Gold Bracelet *Mixtec*
Brazalete de Oro

38
Gold Breast Plate *Mixtec*
Pectoral de Oro

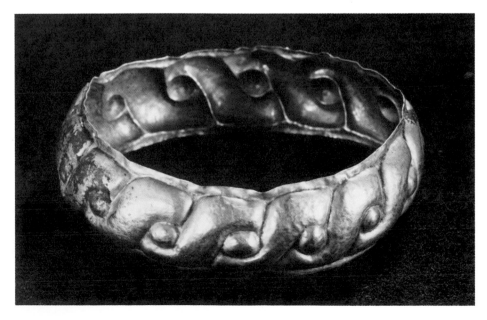

39
Gold Mask *Mixtec*
Máscara de Oro

40
Pectoral *Mixtec*
Peto

41
Gold Necklace *Mixtec*
Collar de Oro

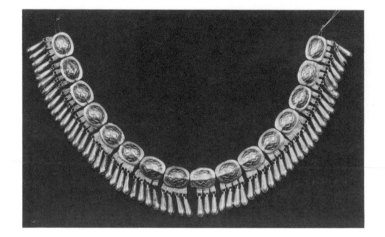

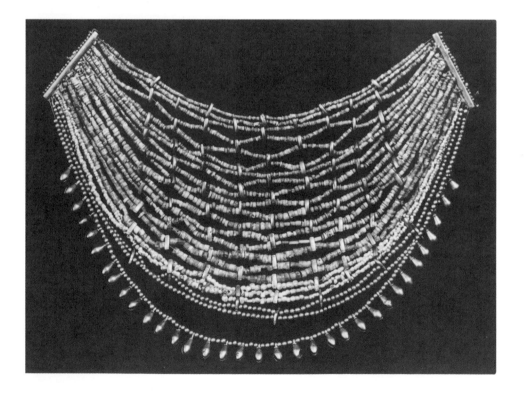

42
"The Wrestler"   *Olmec*
"El Luchador"

43
"Lord of las Limas"   *Olmec*
"Señor de las Limas"

45
Adolescent Huastec Male
Escultura "Adolescente Huasteco"

46
Ceramic Figure   *Huastec*
Figurita en Arcilla

47
Seated Woman   *Huastec*
Mujer Sentada

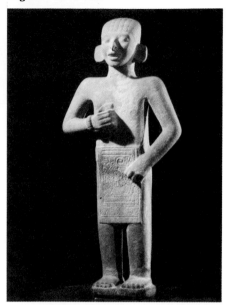

48
Maize Goddess *Huastec-Mexica*
Diosa del Maíz

49
Palma *Veracruz*

50
Smiling Head *Veracruz*
Carita Sonriente

51
Head of a Dog *Veracruz*
Cabeza de Perro

52
Standing Woman *Veracruz*
Mujer de Pie

53
Hacha *Veracruz*

54
Hacha *Veracruz*

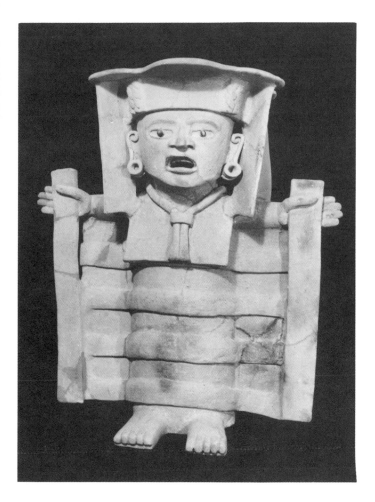

55
Yugo   Veracruz

57
Seated Jaguar   *Veracruz*
Jaguar Sentado

56
Jaguar Head   *Veracruz*
Cabeza de Jaguar

58
Seated Woman   *Veracruz*
Mujer Sentada

59
Glyphs in Stucco   *Maya*
Glifos en Estuco

60
Standing Man   *Maya*
Hombre de Pie

61
The Fat God   *Maya*
Dios Gordo

62
Sitting Woman   *Maya*
Mujer Sentada

63
Stone Plaque   *Maya*
Lápida en Relieve

64
Partly Masked Human Head   *Maya*
Vaso de Izapa

65
Vase *Maya*
Vasija

66
Sitting Personage *Maya*
Figurilla Sentada

67
Standing Lady *Maya*
Dama de Pie

68
Feathered Serpent *Maya*
Serpiente Emplumada

69
Ball Player *Maya*
Jugador de Pelota

71
Lintel *Maya*
Dintel

73
Stucco Head *Maya*
Cabeza Humana en Estuco

72
Funerary Urn *Maya*
Urna Funeraria

74
Polychrome Bowl *Maya*
Plato Policromo

75
Polychrome Vase *Maya*
Vaso Policromo

76
Phytomorphic Bowl *Maya*
Vaso Fitomorfo

77
Bowl with Glyphs *Maya*
Plato con Glifos

79
A Pair of Ducks *Colima*
Vasija de Dos Patos

78
Sitting Woman *Nayarit*
Escultura Femenina en Arcilla

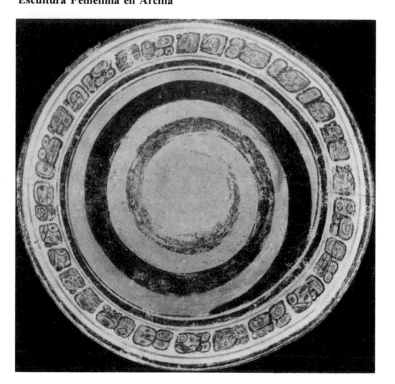

80
Seated Woman   *Jalisco*
Mujer Sentada

81
Warrior   *Jalisco*
Guerrero

82
Stirrup-Handled Vessel   *Tarasca*
Vasija Cuadrada con Asa de Estribo

83
Stirrup-Handled Vessel   *Tarasca*
Vasija Redonda con Asa de Estribo

84
Vessel Decorated with Peyotes   *Colima*
Vasija Decorada con Péyotl

85
Reclining Dog   *Colima*
Perro Recostado

87
Standing Woman   *Guerrero*
Mujer de Pie

86
Standing Woman   *Chupícuaro*
Mujer de Pie

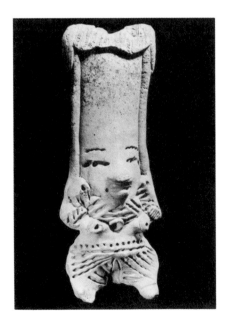

88
Sitting Woman   *Nayarit*
Mujer Sentada

89
Polychrome Bowl   *Tarasca*
Vasija con Decoración Negativa y Policroma

90
Seated Man   *Mezcala*
Hombre Sentado

91
Mask   *Mezcala*
Máscara

92
Mask   *Mezcala*
Máscara

93
Funerary Mask   *Mezcala*
Máscara Funeraria

94
Miniature of a Temple   *Mezcala*
Maqueta de Templo

95
Standing Figure *Mezcala*
Penate Masculino

96
Standing Figure *Mezcala*
Penate Femenino

97
Necklace
Collar

98
Jadeite Ear Ornaments
Orejeras de Jadeita

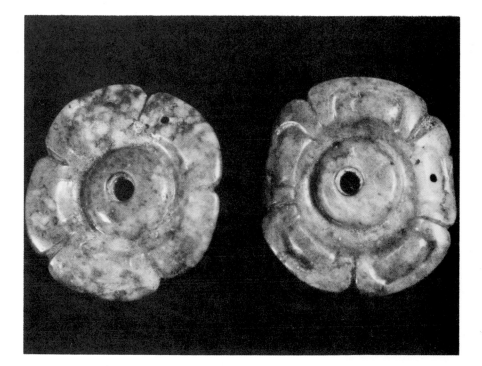

99
Pendant
Pendiente

100
Gourd-Shaped Bead
Cuenta en Forma de Calabaza

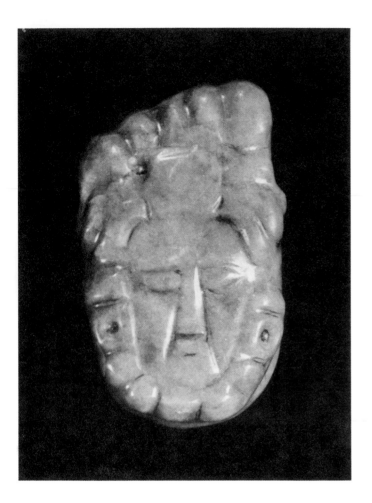

Viceregal Art

Arte del Virreinato

El Virreinato

En los albores del siglo XVI, España se lanzó a una de sus más grandes aventuras, la de conquistar el mundo americano descubierto por Cristóbal Colón; y fue la gran Tenochtitlan el centro del cual partieron las diversas expediciones que posteriormente consolidaron el dominio español sobre las tierras por ellos llamadas de la Nueva España.

La conquista militar precede a la conquista cultural y espiritual y así como el soldado impone su fuerza sobre el indígena, el misionero implanta junto con la cruz, un sistema de vida diferente que paulatinamente es asimilado. La fusión del español y el indígena abrió los horizontes de una nueva raza, la mestiza. Aparecen las diferentes castas motivadas por las mezclas de tres razas principales: la indígena, la española y la negra.

Puede decirse que el siglo XVI, fue de enseñanza, de aprendizaje y así, el misionero, a la vez que enseñaba la nueva religión, hacía que el indígena pronto asimilara la lengua castellana. Son puestos en práctica diversos oficios que, aunque novedosos para el indígena, no le resultan del todo extraños; el maestro descubre en él variadas dotes artísticas que impulsa y alienta, de tal manera que el artífice que había esculpido en la piedra a sus dioses de la lluvia y el maíz, ahora trabaja la cantera con delicadeza para lograr hermosas imágenes que, decorando las fachadas de sus templos, muestran el culto a sus nuevas devociones. Aquél que era diestro con los pinceles ejecutando los antiguos códices, ahora se dedica con entusiasmo a policromar las figuras talladas en madera; el que era hábil cincelando metales preciosos, produce bellas obras de orfebrería para las iglesias y así van surgiendo los artistas novohispanos cuyas obras, a pesar de estar inspiradas en grabados y modelos europeos, dejan ver el acervo cultural de la tradición indígena.

Durante los siglos XVII y XVIII, la Nueva España se transforma en uno de los centros culturales más importantes del Nuevo Mundo. La fundación de la Real y Pontificia Universidad, la introducción de la imprenta y el surgimiento de diversos centros educativos, promueven notablemente la vida cultural novohispana.

El siglo XVIII marca el apogeo del arte novohispano; surgen las obras plenas de libertad; el gran artista vuelca su ingenio y creatividad en el lienzo, la madera y la piedra, dejándonos fachadas y retablos donde las modalidades del barroco han quedado plasmadas en todo su esplendor.

Económicamente se logra un auge notable; se introducen técnicas que favorecen el incremento de diversas producciones, como la minera y la agrícola; se establecen importantes lazos comerciales con el resto de América y Europa y más aún, se descubre partiendo de la Nueva España, la ruta del tornaviaje, que la uniría comercialmente con las lejanas islas del Pacífico a través de los viajes del Galeón de Acapulco.

The Viceregal Period

At the beginning of the 16th century Spain embarked on one of her mightiest adventures, the conquest of the American world just discovered by Columbus. It was from the great city of Tenochtitlan that later expeditions were sent to consolidate Spanish control over the lands they called New Spain.

Military conquest preceded spiritual and cultural conquest: as the soldier imposed his strength upon the Indian, the missionary implanted, along with the cross, a different system of life that was slowly assimilated. The fusion of Spaniard and Indian opened the horizon for a new race, the *mestiza*. A complex system of castes developed based on the mixtures of the three main races: Indian, Spanish, and Black.

One can say that the 16th century was dedicated to teaching and learning. The missionary, while teaching the new religion, also made the Indians assimilate the Castilian language. They taught several crafts which, while new in some ways, were not totally unfamiliar to the Indians. Teachers encouraged the artistic abilities they discovered in the Indians and the artist that had previously sculpted representations of his rain and maize gods was now put to delicately working pink sandstone to produce the beautiful images which were used to adorn the facades of the temples erected to the new devotional cults. The man who in Precolumbian times was adept with paint brushes —painting and limning the ancient codices — was now enthusiastically dedicated to polychroming wood carvings of saints; the skillful goldsmith now produced ornaments for church altars. Thus there came to be works of art which, though inspired by European models, reveal to us their traditional indigenous background.

During the 17th and 18th centuries, New Spain became the most important cultural center of the New World. The establishment of the "Real y Pontificia Universidad" and other educational centers, and the introduction of printing, contributed to this vigorous awakening of cultural life.

The 18th century marks the apogee of New Spain's art; great artists applied their ingenuity and creativity to canvas, wood, metal, and stone, producing new and surprisingly complicated free-flowing forms and leaving us facades and altars in which all the modalities of the Baroque are present in great splendor.

The economy was buoyant. New techniques increased production in agriculture and mining, and commercial connections were established with Europe and the rest of America. A route to Asia from New Spain was discovered and the Acapulco galleon began its trading voyages through the Pacific islands to the Philippines.

Three centuries of colonialism brought substantial changes, and, as the pyramids were supplanted by variegated facades and gilt altars, in the minds of

Fueron tres siglos de notables cambios y así como a las pirámides las sucedieron los templos de abigarradas fachadas y dorados retablos, en las mentes de criollos y mestizos surgían ya las nuevas ideas de libertad, que en los primeros años del siglo XIX originarían las luchas de independencia; sin embargo, España ya había dejado su huella imperecedera no solamente en las ciudades y sus monumentos, sino sobre todo, en ese mestizaje de razas y culturas que forjarían la nueva nación mexicana.

Manuel Carballo

criollos and *mestizos* new ideas of freedom were taking shape. These ideas gave impetus to the struggles for independence in the early years of the 19th century. But Spain had already left her imperishable imprint, not only on the cities and their monuments but, above all, in the mixture of races and cultures that later shaped Mexican nationality.

Manuel Carballo

Arte del Virreinato

Oye un rato Señora a quién desea
Aficionarse a la ciudad más rica,
Que el mundo goza en cuánto el sol rodea....

así Bernardo de Balbuena en 1604 inicia su poema, *Grandeza Mexicana*, dedicado a la "dama de sus castos amores", Doña Isabel de Tovar y Guzmán.

Bernardo, deslumbrado, quiere conquistarla con sus versos y en ellos pone su amor, su entusiasmo por la Nueva España, este país en que muy pronto el arte dormido por la derrota empezó a resurgir: ¡recordemos a los "conquistadores conquistados"!

El indígena tenía su peculiar concepción de belleza: era, como dice el *Códice de la Real Academia*, "abundante, múltiple, inquieto. El verdadero artista: capaz, se adiestra, es hábil, dialoga con su corazón, encuentra las cosas con su mente".

Así en Michoacán el indio aplica el conocimiento que tenía de la pasta de caña para plasmar sus imágenes y crea los Cristos sangrantes. Mezcla plumas con perlas y pedrerías y corona con ellas a sus obispos. Con el maque que decora sus calabazas, cubre cajoneras y escribanías y, para hermosearlas, se inspira en dibujos que le llegan de Oriente. Toma el telar de pedales que desconoce y su *tilma*, su manto, se transforma en el sarape. Descubre la lana y la tiñe con colores naturales hasta formar un arco iris. "Crea, arregla las cosas, las hace atildadas, hace que se ajusten", hasta lograr imprimir a las obras el poderoso sello de su personalidad.

Las manos cinceladoras de la Piedra del Sol y de la Coatlicue, guiadas por misioneros y alarifes, van tanteando y dando traspiés, hasta encontrar un estilo propio. El indígena callado, tímido y constreñido al principio, decora conventos copiando modelos europeos, estampas alemanas y flamencas. Obedece las órdenes, escucha consejos pero no olvida lo suyo: una piedra tallada como plumas, otra que se asemeja a una serpiente, —leitmotiv prehispánico—, otra más con una flor que sólo podía haber brotado en México. De todo ello surge un arte sui generis cuya muestra ofrecemos aquí, en los Estados Unidos.

Los *tlacuilos*, —o pintores en su lenguaje—, los talladores de piedras, los escultores, todos se han puesto a trabajar:

Suben las torres, cuya cumbre amaga
A vencer de las nubes el altura
Y que la vista en ellas se dehaga.

Y así a fines del siglo XVI ya se han elevado tantas torres que el suelo novohispano está erizado de dedos que señalan a Dios.

Es un pueblo religioso el que ahora entra a las oscuras iglesias después de haber bajado las escaleras de las pirámides, deslumbrado por el sol que se duplica en los dorados altares: el plateresco, copia fiel del español, el barroco con sus columnas salomónicas y por fin esa

Art in the Viceregal Period

Listen a while, my Lady, to one
Who would like to become a devotee
Of the richest city in the world...

so Bernardo de Balbuena began his poem *Grandeza Mexicana* in 1604, dedicated to the "lady of his chaste loves," Doña Isabel de Tovar y Guzmán.

Bernardo, dazzled, wants to win her with his verses; in them he puts his love and enthusiasm for New Spain, this country in which art, asleep from the defeat, would soon arise: let us remember the "conquered conquerors!"

The Indian had his own special conception of beauty, as says the Codex of the Royal Academy "...abundant, multiple, restless. The true artist, capable, trains himself, is clever, carries on a dialogue with his own heart, finds things with his mind."

In this way, the Michoacán Indian applies the knowledge he already had of the maize-cane paste to build images and he creates the bleeding Christs. He mixes feathers with pearls and gems to crown his bishops. With the lacquer he uses to decorate gourds and bowls, he covers chests of drawers and writing cases and, to beautify them, he takes inspiration from designs that come to him from the Orient. He takes the treadle loom — which is unknown to him — and his *tilma*, his tunic, is transformed into the *sarape*. He discovers wool and dyes it with natural colors creating a rainbow. He creates, arranges things, adorns them, adjusts them, until he comes to impress the powerful seal of his personality on the works.

The hands that chiseled the Calendar Stone and the Coatlicue, guided by missionaries and masons, grope and test until they find their own style. The Indian, silent, timid, and constrained at the beginning, decorates convents copying European models: Dutch and German etchings. He obeys orders, pays attention to counsels, but does not forget what is his own: a stone carved as feathers, another like a serpent — a Prehispanic leitmotiv — another like a flower which could have grown only in Mexico. From all this a *sui generis* art emerges, examples of which we offer in this exhibition.

The *tlacuilos* (painter-calligraphers), the stone masons, the sculptors, all are working now:

They climb towers, whose summit threatens
to dominate the clouds in their height,
and the sight of them is lost.

And so, by the end of the 16th century, there are so many towers built that New Spain's soil seems bristling with fingers pointing to God.

It is a religious people now who walk into the dark churches, after descending the steps of the pyramids, dazzled by the sun that is duplicated in the gilded altars: the Plateresque, faithful copy of the Spanish; the Baroque with its salomonic columns and finally

explosión de líneas y formas que es el ultrabarroco y churrigueresco. Al mexicano ya sólo le basta mirar. La interpretación le pertenece: exuberante, exagerada y alegre como su carácter. Sin embargo, al pintar se siente aun inseguro y en el siglo XVII sigue copiando, aunque esas telas movidas por el viento ya son suyas. Los arcángeles que interpretan Villalpando y Correa tienen alas cuyas tonalidades asemejan una guacamaya u otro pájaro exótico y sólo pueden ser mexicanos.

Con los indígenas y los mestizos, también los moros están presentes en el arte novohispano, con los artesonados, los azulejos, las ajaracas y una que otra torre. Y hasta los chinos, por los estilos traidos del Lejano Oriente por la Nao de Manila.

El criollo busca también su identidad: Sor Juana Inés de la Cruz escribe versos con palabras indígenas entrelazadas en su hermoso castellano: "maca, ammo tonantzin" y nadie conoce como ella la mitología y los clásicos que lee y estudia en su celda-academia del Convento de las Jerónimas. Hasta que su superior se lo prohibe y Sor Juana calla.

En el siglo XVIII "rodaban en la ciudad más de tres mil coches y estufas". Las obras de arquitectura son suntuosas, México es "la ciudad de los palacios"; los virreyes, como Gálvez, se dejan pintar montando caballos esgrafiados, las mujeres se cubren de alhajas: hay lujo hasta entre los negros esclavos que se visten de sedas chinas.

Al fin el mestizaje ha llegado a la mayoría de edad. Después de la Independencia se pintan pulquerías, vendimias, bodegones con platillos y frutas exóticas: el arte mexicano sale a la calle y parece haber encontrado su verdadera identidad.

Marita Martínez del Río de Redo

Teresa Castelló de Iturbide

that explosion of shapes and lines: the Ultrabaroque and the Churrigueresque. The Mexican needs now only to look. The interpretation is his: exuberant, exaggerated, and joyful as his character. However, as he paints he still feels insecure, and in the 17th century he is still copying, though those canvases, stirred by the wind, are already his. The archangels painted by Villalpando and Correa have wings whose shades are so similar to a guacamaya or some other exotic bird that they can only be Mexican.

With the Indians and the Mestizos, the Moors also are present in the art of New Spain, in the carved paneled ceilings, the tiles, stucco majolica decoration, and an occasional tower. Even the Chinese are there, with the styles that had come from the Orient in the Manila galleon.

The *criollos* look for their identity too: Sor Juana Inés de la Cruz writes verses with Indian words interlaced in her beautiful Castilian: "maca, ammo tonantzin;" and nobody knows better than she the mythology and the classics that she reads and studies in her cell-academy at "Las Jerónimas" convent. Until her Mother Superior forbade it, then Sor Juana was silent.

In the 18th century "three thousand vehicles circulated in the city." Architecture had become sumptuous: Mexico is "la ciudad de los palacios;" the viceroys, like Gálvez, are painted on calligraphic horses; women are covered with jewels: there is luxury even among the black slaves who are dressed in Chinese silks.

At last *mestizaje* came of age. After the Independence artists painted pulquerías, market places, still lifes with exotic fruits and dishes: Mexican art goes out into the streets and seems to have found its true identity.

Marita Martínez del Rio de Redo

Teresa Castelló de Iturbide

101
Lion
Anonymous

16th century
Stone
20-1/2 x 39-1/2 x 13-1/2 in.
M.R.C.

Some early sculpture of the Viceregal period has much in common with Prehispanic sculpture. This stone lion is an authentic survival of indigenous style, and must have been one of the first sculptures made in New Spain. The similarities are especially apparent in the vigorous handling of form; in the subordination of detail to volume with mane and tail wrapped close to the body; in the incised patterns of face, mane, and paws; and in the teeth of inlaid bone. José Moreno Villa has called these works that are real survivals of ancient Mexico *tequitqui,* differentiating them from popular art or from popular imitations of European art.

101
León
Anónimo

Siglo XVI
Piedra
52 x 100 x 34 cm.
M.R.C.

Algunas esculturas del período virreinal tienen mucho en común con la escultura prehispánica. Este león de piedra es una supervivencia auténtica del estilo indígena, y debe ser una de las primeras esculturas hechas en Nueva España. Las semejanzas son especialmente notables en el vigoroso manejo de la forma, en la subordinación del detalle al volumen: la cola está apretadamente fija al cuerpo; en los detalles incisos de la cara, la melena y las garras, y en los dientes incrustados de hueso. José Moreno Villa ha llamado a estas obras, que son supervivencias reales del México antiguo, *tequitqui,* para diferenciarlas tanto del arte popular como de las imitaciones populares del arte europeo.

102
Christ without a Cross
Anonymous

Paste of maize cane pith, lacquered and painted
17th century
32-1/4 x 31-7/16 in.
M.N.V.: Inv. No. 10-691

A major Mexican contribution to Viceregal imagery, profoundly emotive sculptural representations of the crucified Christ often were modeled of a paste made from the maize stalk. The technique is of Prehispanic origin and was used by the Tarascans because of its lightness for making portable images of their gods. The Franciscan missionaries applied the process to Christian imagery. Large figures were made with armatures of reeds and heavy paper covered the paste (the stalk was ground and mixed with a cement made from an orchid bulb). Small figures and details were achieved by tying little bunches of peeled corn stalks, and gluing them together with nopal juice. When dry the material was worked like wood and then sealed with sumac lacquer before painting. This technique originated in Tzintzuntzan, Michoacán, and was brought to Pátzcuaro by Don Vasco de Quiroga.

102
Cristo sin Cruz
Anónimo

Pasta de caña de maíz con policromía
Siglo XVII
82 x 80 cm.
M.N.V.: Inv. No. 10-691

Una de las aportaciones mexicanas a la imaginería virreinal es la representación escultórica de Cristo crucificado, modelado con pasta hecha a base de médula de caña de maíz. Esta técnica es de origen prehispánico. Los indígenas tarascos la empleaban para hacer sus ídolos, para que no pesaran y pudieran acompañarlos a la guerra. Los misioneros franciscanos la aplicaron a la imaginería cristiana. Las figuras grandes se hacían preparando un armazón de carrizo y papel grueso de siranda, que se cubría de una pasta preparada con el corazón de la caña real, molida y batida con engrudo hecho con el polvo obtenido del bulbo de una orquídea. Las figuras pequeñas y los detalles se lograban formando un atado de trozos pequeños de caña de maíz pelada, que untaban con baba de nopal, como pegamento. Al secarse, quedaba tan bien adherido que podía labrarse como si fuera madera. El acabado se hacía con el procedimiento del maque y después se policromaba. Esta artesanía se inició en Tzintzuntzan (Michoacán) y después Don Vasco de Quiroga la llevó a Pátzcuaro, donde se distinguió en estos trabajos la familia Cerda.

103
Ex-Voto
Anonymous

Oil on canvas
17th century
33-7/16 x 44-1/16 in.
M.N.V.: Inv. No. 672

Ex-votos are a spontaneous and naive expression of gratitude for favors received from the venerated image of a holy person. From the 19th century to our day ex-votos have been produced in enormous numbers, but they were rare in the 17th century. This painting tells of the protection given by the Archangel Michael to a man who was at the point of being overtaken by an enraged bull.

103
Ex-Voto
Anónimo

Oleo sobre tela
Siglo XVII
0.85 x 1.12 m.
M.N.V.: Inv. No. 672

Obra que puede considerarse como un antecedente de los ex-votos que la devoción popular prodigó, a partir de mediados del siglo XIX, en espontánea e ingenua manifestación de agradecimiento por determinados favores recibidos. El que ahora se muestra narra la protección del arcángel San Miguel a un hombre que estuvo a punto de ser cornado por un toro.

104
Devotional Painting
José Aguilar

17th century
Oil on canvas
35-1/6 x 27 in.
M.R.G.

Despite its conformity to a traditional system of horizontal and vertical zones, this devotional painting suggests a gentle celestial environment emanating from a rare Trinity of youthful figures. Their radiance surrounds Mary who floats just below them with the sun and the moon at her feet. St. Joseph is prominent too, in the third register, holding his flowering staff, an allusion to his victory over other claimants for Mary's hand. His popularity at this time was largely due to St. Theresa who adopted him as her patron saint and consecrated her first convent to him at Avila. Aguilar has infused this rigorous format with a delicate rhythmic movement, giving each figure a distinct posture and gestural character. Such pictures were usually made for church sacristies and frequently contained many dozens of saints.

104
Cuadro de Devoción
José Aguilar

Siglo XVII
Oleo sobre tela
89 x 68.5 cm.
M.R.G.

A pesar de conformarse al sistema tradicional de zonas verticales y horizontales, esta pintura devocional sugiere un suave ambiente celestial que emana de una rara Trinidad formada por personas juveniles. Su irradiación rodea a la Virgen María, que flota bajo ellos, con el Sol y la Luna a sus pies. Se destaca también Sn. José, en el tercer nivel, que empuña su báculo florido, aludiendo a su victoria sobre los otros pretendientes a la mano de la Virgen. Su popularidad, en estos tiempos, se debío principalmente a Sta. Teresa que lo había adoptado como su patrón y le había consagrado su primer convento en Avila. Aguilar infundió este formato riguroso con un movimiento rítmico delicado, dando a cada personaje una postura y un gesto de caracter diferentes. Pinturas como ésta, se hacían frecuentemente para sacristías y a menudo contenían muchas docenas de santos.

105
Carpet
Anonymous
(not illustrated)

17th century
Wool
75-9/16 x 137-13/16 in.

This is a rare example of Viceregal art, as carpets were almost unknown in New Spain. Most often they were simulated — painted directly on the brick floors, with a mixture of glue, lime, clay, and soap. The colors blue, red and black against a yellow ground, were those commonly used in Prehispanic decorations.

105
Alfombra
Anónimo
(sin ilustración en el catálogo)

Lana
Siglo XVII
1.92 x 3.50 m.

Raro ejemplar, ya que las alfombras eran casi desconocidas en la Nueva España. Generalmente éstas se simulaban pintándolas sobre el suelo de ladrillo, con una mezcla de cola, cal, barro y jabón. Los colores azul, rojo y negro sobre fondo amarillo eran los usados en las decoraciones prehispánicas.

106
The Two Hermits
Baltasar de Echave Ibía, 1580 - 1645

Oil on copper
15-15/16 x 20-1/4 in.
P.V.

This enchanting painting is by the second of the Echaves, known as the "Echave of the Blues" to distinguish him from his father and his son, and because of his preference for a range of blue tones. Excellent in the quality of its drawing throughout, the inclusion of several small animals in the foreground and the idyllic landscape of the background show an observational and lyrical sensitivity unusual in Mexican painting of this period.

106
Los Dos Ermitaños
Baltasar de Echave Ibía, 1580-1645

Oleo sobre lámina
Siglo XVII
40.5 x 51.5 cm.
P.V.

Deliciosa lámina debida al segundo de los Echaves, conocido también como el "Echave de los azules" para diferenciarlo de su padre y de su propio hijo, así como por la delectación que muestra en el uso de las tonalidades azulosas. Obra de fino dibujo en la que por la inclusión de los diversos animalillos y lo idílico de los paisaje del fondo se trasluce la vena lírica y fresca sensibilidad que poseía este artista.

107
Portrait of a Lady
Baltasar de Echave Ibía, 1580 - 1645

Oil on panel
24-7/16 x 18-7/8 in.
P.V.

Portrait painting following European models began in Mexico in the 16th century, and was intended at that time mainly to perpetuate the images of the highest representatives of the king and the church. It was not until the 17th century that portraiture of other members of the upper class appeared, as individuals or as donors to the church in monumental paintings. This work by Echave Ibia is the oldest female portrait in Mexico. It has been suggested that it represents the wife of a viceroy or the mother or wife of the artist, but there is no clear foundation for any of these hypotheses.

107
Retrato de una Dama
Baltasar de Echave Ibía, 1580 - 1645

Oleo sobre tabla
62 x 48 cm.
P.V.

El arte del retrato aparece en el virreinato desde el siglo XVI, principalmente para perpetuar las efigies de los representantes, tanto de la Iglesia como del poder real. Fue hasta el XVII cuando se extendió también su uso para los principales personajes de la sociedad, apareciendo ya en forma individual, ya como donantes de pinturas religiosas. Esta que aquí se muestra es el retrato femenino más antiguo que se conoce, y se le ha querído identificar con una virreina, o con la madre o la esposa del pintor, en este caso Echave Ibía, el "Echave de los azules".

108
The Conversion of Mary Magdalen
Juan Correa, active 1675 - 1739

Oil on canvas
65-3/4 x 42-15/16 in.
P.V.

The works of Juan Correa and Cristóbal de Villalpando mark the high point of Baroque painting in Mexico. Less is known about Correa, but the two artists were inseparable companions and prolific painters. Among their collaborations was the decoration of the Sacristy of the Cathedral of Mexico. In this appealing dual interpretation of the Magdalen's conversion, Correa's amiability combines with his love of nature: she is shown first enjoying jewels and rich clothes and then, repentant, living in a cave beside a beautiful garden.

108
Conversión de María Magdalena
Juan Correa, activo 1675-1739

Oleo sobre tela
1.67 x 1.09 m.
P.V.

Juan Correa es, junto con Cristóbal de Villalpando, el pintor representativo del barroco novohispano del siglo XVII. Autor de una extensa producción en la que no obstante la heterogénea calidad, siempre está presente su amor por la naturaleza y su personalidad amable, Correa nos ha entregado en este cuadro una bella versión del tema de la conversión de la Magdalena. Ha dividido la composición en dos secciones y representado en una, a la mujer que gustaba de joyas y ricas telas, y en la otra, a la mujer ya arrepentida, recogida dentro de una cueva, frente a la cual se destaca un hermoso huerto.

109
Saint Catherine Martyr
Juan Correa, active 1675 - 1739

Oil on canvas
83-1/16 x 55-1/8 in.
P.V.

Correa's Saint Catherine is a fine example of the fully Baroque Mexican painting that blends intimately with the elaborate carved and gilded interiors of this period: luminous, golden-hued, with a taste for bluish or reddish autumnal landscapes, always sumptuous. Saint Catherine of Alexandria, the 4th century virgin martyr, was much revered in Mexico.

109
Santa Catalina
Juan Correa, activo 1675-1739

Oleo sobre tela
2.11 x 1.40 m.
P.V.

Magnífica tela debida al pincel de Juan Correa, afamado y prolífico pintor del último tercio del siglo XVII y principios del XVIII, quien junto con Cristóbal de Villalpando cumplió el encargo de decorar la Sacristía de la Catedral de México. El cuadro representa a Santa Catalina de Alejandría, Virgen y Mártir del siglo IV que gozó de gran devoción en la Nueva España.

110
Archangel Raphael
Anonymous

Carved wood, gessoed,
  painted, and gilded
18th century
40-15/16 in.
M.N.V.

This beautifully modeled archangel is characteristic of Baroque sculptural style in its representation of the body in motion, free play of draperies, and great richness of polychromed surfaces.

110
Arcángel Rafael
Anónimo

Talla en madera estofada
Siglo XVIII
1.04 m.
M.N.V.

La escultura barroca se caracterizó principalmente por el libre juego y vuelo de los ropajes de las imágenes, por la gran riqueza policroma con que estos han sido estampados y por el movimiento que ofrece el cuerpo. La figura de este arcángel, magníficamente estofada, es un claro ejemplo de las obras realizadas en este estilo.

111
Saint Rosalie
Anonymous

Carved wood, gessoed,
  painted, and gilded
18th century
41-5/16 x 15-3/4 in.
M.N.V.: Inv. No. 10-12449

Sculptures like this one of the hermit Saint Rosalie were normally used to fill the niches of the very elaborate carved and gilded Baroque altar pieces that adorned Mexican churches. Notable here are the restrained colors of the richly patterned fabric of the saint's robe.

111
Santa Rosalía
Anónimo

Talla en madera estofada
Siglo XVIII
1.05 x 0.40 m.
M.N.V.: Inv. No. 10-12449

La escultura de esta santa eremita, corresponde, como la gran mayoría de estas obras, a una pieza realizada para la decoración de los retablos dorados que ornamentaban los interiores de los templos novohispanos.

112
The Plaza Mayor of Mexico City
Anonymous

18th century
Oil on canvas
83-7/16 x 104-3/4 in.
M.N.H.

This highly interesting painting documents Mexico City's main square as it was before the extensive urban reforms made by Count Revillagigedo near the end of the 18th century. The panoramic view from the roof of the Viceregal palace shows all the bustle of Viceregal life in this plaza which then served also as the central market place. Here are the viceroy arriving in his horse-drawn carriage and also the lowest social rung: a group of *pelados* (petty idle ruffians) actively engaged in a street brawl. There are vendors in their stalls, students, churchmen, strolling ladies, palace bureaucrats, a water carrier, and even a pickpocket who is profiting from the general commotion. At one side is the canal on which flat boats bring food and other supplies to the city.

112
Plaza Mayor de la Ciudad de México
Anónimo

Oleo sobre tela
Siglo XVIII
2.12 x 2.66 m.
M.N.H.

Interesantísima pintura que ilustra la Plaza Mayor de la Ciudad de México, tal y como debió de estar antes de las reformas que emprendiera a finales del siglo XVIII el Conde de Revillagigedo. Es una panorámica tomada al parecer desde lo alto de Palacio Nacional; escena en la que bulle toda la sociedad novohispana, desde el Virrey que llega en su carruaje, hasta los encargados de los puestos en el mercado, pasando por el aguador, las damas de la Colonia, colegiales, funcionarios públicos, clérigos, y los peladitos que participan en la riña callejera, y el ratero que aprovecha el tumulto. Al anónimo pintor no se le olvidó incluir la acequia por la que llegaban las viandas en trajineras.

113
The Castes
Anonymous

Oil on canvas
18th century
58-1/4 x 40-15/16 in.
M.N.V.: Inv. No. 32387(63)

This is a painting of considerable historical importance because it represents some of the practically innumerable levels of social status that existed in Viceregal times, all of them based on mixtures of Spanish, Indian, and Negro blood. The peculiar caste system of the Hispanic world during the Viceregal period reached a complexity that made it essential for municipal and parish officials to have visual guides to the racial characteristics of their subjects. The vital statistic of caste was required for every transaction, license, or permission. While intermarriage between castes freely occurred, the limitations of conduct within each stratum were rigidly and jealously observed and the caste of the offspring was predetermined. Particularly in 18th century Mexico, the subject of caste became almost a parlor diversion, without losing its serious implications, causing a demand for paintings like *The Castes*.

113
Las Castas
Anónimo

Oleo sobre tela
Siglo XVIII
1.04 x 1.48 m.
M.N.V.: 32387 (63)

Pintura de notable interés para la historia del período virreinal, ya que representa los diferentes grupos a que daban lugar las uniones y mezclas de las diferentes clases sociales que componían a la Nueva España. El sistema peculiar de castas del mundo hispánico en la época virreinal, llegó a tal grado de complejidad, que era necesario tener cuadros como éste en los cabildos y parroquias, para identificar la casta de quienes ocurrieran, pues era necesario asentarla en toda clase de documentos. Aunque los matrimonios entre personas de distintas castas eran comunes, cada quien estaba obligado a respetar las normas de conducta de su casta; ésta era determinada, de acuerdo con los cuadros, por las castas a que hubieran pertenecido sus padres. En el siglo XVIII, en México, el tópico de las castas llegó a ser casi una diversión de tertulia, pero sin perder por ello sus más serias implicacíones.

114
Portrait of a Nun
Anonymous

18th century
Oil on canvas
68-1/2 x 39-3/8 in.
P.V.

Numerous portraits of clerics were commissioned by both monasteries and families during the Viceregal period. Frequently they were adaptations of European painting styles, only partially understood or assimilated. Here, an able but unknown artist portrays a young nun with a strength and simplicity that are neither naive nor stereotyped. This painting is reminiscent of the monks of Zurbarán in its concentration on the nun focused on her devotional reading in a neutral space, and in its unadorned forms and somber color — except for the surprising red in the head covering.

114
Retrato de una Monja
Anónimo

Siglo XVIII
Oleo sobre tela
1.74 x 1.00 m.
P.V.

Durante el período virreinal, a menudo se encargaban retratos de religiosos, tanto por sus familias como por sus conventos. Frecuentemente estas pinturas eran adaptaciones de estilos europeos, sólo parcialmente entendidos y asimilados. En este retrato, un hábil artista desconocido, pintó a una monja joven con una fuerza y simplicidad que no son ni ingenuas ni estereotipadas. Esta pintura recuerda a los monjes de Zurbarán, en su concentración en la monja que lee su libro de devociones, colocada en un espacio neutro; en sus formas sin adornos y en el color sombrío, excepto por el sorprendente rojo en las bandas sobre su cabeza.

115
Silver Frame
Antonio Fernández
(not illustrated)

Late 18th century
Heavy sheet silver
95-1/4 x 68-1/8 in.

In the eighteenth century Mexico was the largest producer of silver in the world. During that period the rich lodes of Guanajuato and San Luis Potosí were discovered. A large part of the metal was sent to Spain, where magnificent works of the silversmiths' art were accumulated; altar frontals were especially desirable.

115
Marco de Plata
Antonio Fernández
(sin ilustración en el catálogo)

Lámina gruesa de plata
Fines del siglo XVIII
2.42 x 1.73 m.

En el siglo XVIII, México ocupó el primer lugar como productor de plata. En esa época se descubrieron las ricas vetas de Guanajuato y San Luis Potosí. Una gran parte del metal se enviaba a España, donde se atesoran magníficas obras mexicanas, especialmente frontales de altar.

116
Saint Ignatius of Loyola
Miguel Cabrera, 1695 - 1768

Oil on copper
27-9/16 x 20-1/16 in.
P.V.

Born in Oaxaca, Miguel Cabrera was the most renowned Mexican artist of the 18th century. He painted a prodigious number of pictures to satisfy the demands of churches, convents, and private patrons. Overshadowing his contemporaries, his high reputation persisted through the 19th century until an abrupt change in taste negated his work. Now, in balance, he is seen as one of a number of artists of ability and talent caught in the social pressure of overproduction by a voracious century. The large, sympathetic portrait of *Sor Juana Inés de la Cruz* (National Museum of History, Chapultepec) is his most famous single work. Of equal quality is this small painting of Saint Ignatius, founder of "The Society of Jesus," one of the numerous works Cabrera painted for the Jesuits.

116
San Ignacio de Loyola
Miguel Cabrera, 1695-1768

Oleo sobre lámina
70 x 51 cm.
P.V.

Miguel Cabrera, el artista de más renombre de mediados del siglo XVIII, trabajó mucho para los jesuitas, de aquí que no tenga nada de extraño el encontrar dentro de su vasta producción, representaciones de San Ignacio, fundador de la Compañía de Jesús. A pesar de ser una lámina de reducidas dimensiones, Cabrera ha dotado a su composición de un innegable sentido monumental.

117
Apostle
Anonymous

Carved wood, gessoed,
 painted, and gilded
18th century
30-5/16 x 16-1/8 in.
M.N.V.: Inv. No. 10-12468

Derived from the Spanish tradition of painting images, polychromed and gilded wood sculpture was another sculptural technique widely used in Viceregal times. Surfaces usually were painstakingly finished. Here even the lace work and embroidery were imitated with a sharp awl, after gold leaf was laid over a red bole.

117
Apostol
Anónimo

Talla en madera estofada
Siglo XVIII
0.77 x 0.41 m.
M.N.V.: Inv. No. 10-12468

Durante el virreinato, una de las técnicas más utilizadas en la escultura fue el estofado en madera. Con el hábil manejo de un filoso punzón para realizar la imitación de bordados o estampados en los ropajes, los artífices novohispanos lograron magníficas obras policromas.

118
Radiating Diadem
Anonymous

Embossed and chiseled silver
18th century
14-3/16 x 16-1/2 in.
M.N.V.: Inv. No. 127779

Baroque in its conception, and in the rich decoration that combines straight and undulating rays with stars and foliage, this diadem was probably used to adorn the head of a life-size sculpture of the Virgin Mary.

118
Resplandor
Anónimo

Plata repujada y cincelada
Siglo XVIII
36 x 42 cm.
M.N.V.: Inv. No. 127779

Bella pieza barroca con una rica decoración que combina rayos de perfiles rectos y ondulantes, la cual es muy probable haya adornado alguna imagen de la Virgen María.

119
The Immaculate Conception
Juan Patricio Morlete Ruiz, 1715-1785

Oil on copper
23-5/8 x 18-1/8 in.
P.V.

Another artist whose style is related to that of Miguel Cabrera and who is a good representative of painting at the end of the Viceregal period is Juan Patricio Morlete Ruiz. Representations of "La Purísima" were favored by the artists of New Spain; here, however, Morlete Ruiz introduces a new version in which he has added three children and a strange and hideous monster. His work shows an amiable restraint, rare in the art of this period; often a predilection for silvery gray flesh tones; and mannerist, sometimes idiosyncratic compositional and iconographic tendencies.

119
La Purísima Concepción
Juan Patricio Morlete Ruiz, 1715-1785

Oleo sobre lámina
60 x 46 cm.
P.V.

Un digno representante de las postrimerías de la pintura virreinal es Juan Patricio Morlete Ruiz, en cuya obra es posible encontrar las debilidades y aciertos que caracterizan la producción pictórica de los finales del siglo XVIII. La representación de la Purísima Concepción gozó del favor de los artistas novohispanos, sin embargo Morlete Ruiz nos ha entregado una novedosa e interesante versión, en la que hay que destacar la extraña inclusión de tres niños, y la cabeza de una repugnante fiera.

120
The Cupboard, 1769
Antonio Pérez de Aguilar, active 1749-1769

Oil on canvas
49-3/16 x 38-9/16 in.
P.V.

Still life painting came to Mexico late in the history of the Viceregal period and it would only develop as an important genre in the 19th century. *The Cupboard* is probably the best known Mexican still life of this period, although little is known about the artist except that he was among those painters working around Miguel Cabrera. This still life had been attributed to Morlete Ruiz until 1934 when the present signature and date were found on the back of the canvas during photography. Also signed and dated is a portrait by Pérez de Aguilar in the parish church of Real del Monte, Hidalgo.

120
Alacena, 1769
Antonio Pérez de Aguilar, activo 1749-1769

Oleo sobre tela
1.25 x 0.98 m.
P.V.

Cuadro interesante tanto por su excelente factura, como por el tema mismo; ya que el género de los "bodegones" no fue frecuente entre los artistas novohispanos; de aquí el especial valor de esta espléndida "Alacena" pintada en 1769 por un artista casi desconocido: Antonio Pérez de Aguilar.

121
Friar Francis of Saint Anne
Anonymous

Oil on canvas
18th century
71-5/8 x 40-1/8 in.
M.N.V.: Inv. No. 54028

Portrayals of crowned nuns, at the time of taking their vows, occur frequently in Mexican Viceregal painting, but friars at the same important point in their lives were seldom painted, thus the rarity of this portrait of a richly crowned contemplative brother.

121
Fray Francisco de Santa Ana
Anónimo

Oleo sobre tela
Siglo XVIII
1.82 x 1.02 m.
M.N.V.: Inv. No. 54028

La representación de monjas coronadas, esto es de cuando hicieron su profesión de fe y aceptaron ingresar a una orden religiosa, es bastante frecuente, no así la representación del mismo momento en el caso de los frailes. Es por esto que el cuadro que ahora se muestra resulta, además de interesante, plásticamente hablando, un importante documento gráfico.

122
Sister Mary Ignatius of the Blood of Christ
José de Alcíbar, active 1751 - 1801

Oil on canvas
70-7/8 x 42-15/16 n.
M.N.H.

José de Alcíbar was one of the first professors of painting at the Academy of San Carlos, inaugurated in 1785, and part of the group around Miguel Cabrera. This painting in both conception and detail is considered his masterpiece, superior to his more ambitious paintings of religious subjects. It shows a nun elaborately attired for the profession of faith and the taking of vows. This would be the last day for her to see the outside world; the pompous richness of her costume and accessories is consonant with the Catholic belief that the ceremony was a marriage with Christ and so her clothing should be nuptial dress worthy of a divine consort. Her face reveals, however, the timid curiosity of a young girl.

122
Sor María Ignacia de la Sangre de Cristo
José de Alcíbar, activo 1751-1801

Oleo sobre tela
1.80 x 1.09 m.
M.N.H.

Dentro de la pintura del periodo virreinal merecen mención especial los retratos de las monjas, algunas de ellas, como en este caso, ataviadas con el lujo deslumbrante de los hábitos y adornos que vestían para la gran ceremonia de su ingreso al convento, de su profesión de fe. Bellísima pintura debida a José de Alcíbar, tanto en su concepción como en la factura de todos sus detalles.

123
Tabernacle Door
Anonymous

Embossed and chiseled silver,
 partially gilded
18th-19th centuries
29-1/8 x 17-5/16 in.
M.N.V.: Inv. No. 12157

Composed of several silver plates on a wooden support, the traditional religious content of this relief is conveyed with evident popular flavor as seen in the naiveté of the individual elements and in their arrangement.

123
Puerta de Sagrario
Anónimo

Plata repujada, cincelada y partes doradas
Siglo XVIII-XIX
74 x 44 cm.
M.N.V.: Inv. No. 12157

Pieza compuesta por láminas de plata y soporte de madera. Presenta una decoración de hondo contenido religioso pero trabajado con un evidente sabor popular por la ingenuidad y solución de sus elementos.

101
Lion   *Anonymous*
León

102
Christ without a Cross   *Anonymous*
Cristo sin Cruz

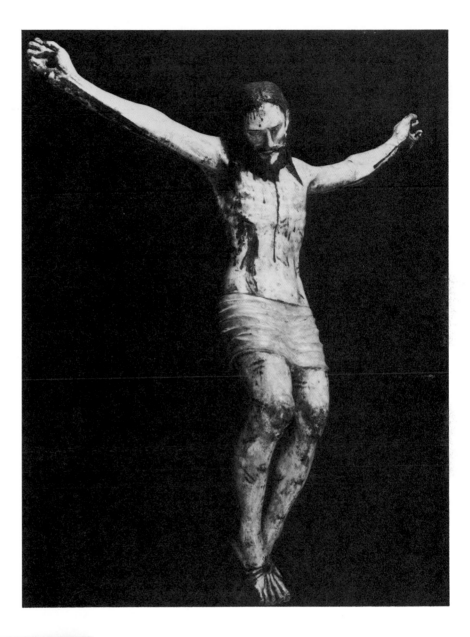

126

105
Carpet *Anonymous*
Alfombra (not illustrated)

106
The Two Hermits *Baltasar de Echave Ibía*
Los Dos Ermitaños

107
Portrait of a Lady *Baltasar de Echave Ibía*
Retrato de una Dama

108
The Conversion of Mary Magdalen   *Juan Correa*
Conversión de María Magdalena

109
Saint Catherine Martyr   *Juan Correa*
Santa Catalina

110
Archangel Raphael *Anonymous*
Arcángel Rafael

111
Saint Rosalie *Anonymous*
Santa Rosalía

113
The Castes *Anonymous*
Las Castas

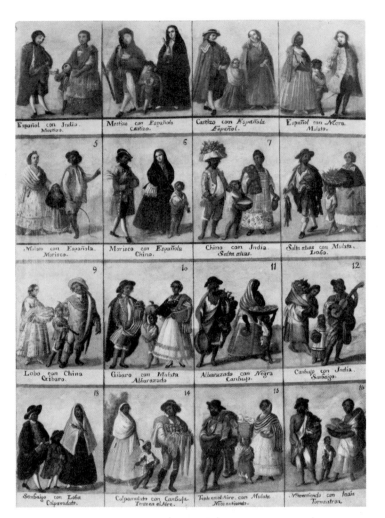

114
Portrait of a Nun *Anonymous*
Retrato de una Monja

115
Silver Frame   *Anonymous*
Marco de Plata (not illustrated)

116
Saint Ignatius of Loyola   *Miguel Cabrera*
San Ignacio de Loyola

132

117
Apostle   *Anonymous*
Apostol

118
Radiating Diadem   *Anonymous*
Resplandor

119
The Immaculate Conception   *Juan Patricio Morlete Ruiz*
La Purísima Concepción

120
The Cupboard   *Antonio Pérez de Aguilar*
Alacena

121
Friar Francis of Saint Anne *Anonymous*
Fray Francisco de Santa Ana

122
Sister Mary Ignatius of the Blood of Christ *José de Alcibar*
Sor María Ignacia de la Sangre de Cristo

19th Century Art

Arte del Siglo XIX

La Pintura y Escultura en México durante el Siglo XIX

El hecho más sobresaliente de la vida mexicana en los primeros años del siglo XIX fue sin lugar a dudas la independencia nacional consumada en 1821. Sin embargo, si en lo político la Nueva España se desprendía de la vieja España, pronto se haría sentir la dependencia económica hacia Europa, derivándose de ello una dependencia cultural favorecida por la clase aristocrática. La sociedad semifeudal heredada de la Colonia produjo un arte aristocrático auspiciado por el estado, que se proponía como arquetipo a las clases medias y laborales. Estas dieron su respuesta peculiar sin la cual no se explica la totalidad del fenómeno artístico.

El llamado arte culto sigue una trayectoria que se vincula a la iniciación de los trabajos de la Real Academia de San Carlos en 1781. A la Academia vinieron de España como profesores, artistas de la talla del grabador Jerónimo Antonio Gil, el pintor Rafael Jimeno y Planes y el escultor Manuel Tolsá, quienes iniciaron el Arte Neoclásico en México y fueron seguidos por mexicanos tan importantes como José Damián Ortiz de Castro, Francisco Eduardo Tresguerras y José Luis Rodríguez Alconedo.

El Arte Neoclásico se impuso desde la Academia y aún la iglesia católica lo adoptó rápidamente, abandonando el Barroco. El nuevo estilo por otra parte, podía identificarse mejor con la ideología de la independencia, viendo en el humanismo greco-latino que representaban las formas clásicas, múltiples coincidencias con el espíritu del enciclopedismo, los anhelos de racionalismo y de progreso.

El nuevo arte se vio pronto envuelto por el Romanticismo que exaltaba el sentimiento como base de la creación artística. Sin embargo en la convulsiva primera mitad del siglo XIX, la Academia de San Carlos decayó rápidamente.

La Escultura Neoclásica está representada particularmente por la extraordinaria estatua ecuestre de Carlos IV, de Tolsá, y en la pintura destacó la obra de la cúpula de la Catedral de México, de Jimeno y Planes.

La segunda mitad del siglo XIX vio el resurgimiento de la Academia, debido al apoyo gubernamental. Esto permitió la contratación de nuevos maestros europeos: Pelegrín Clavé, pintor; Manuel Vilar, escultor; y Eugenio Landesio, pintor paisajista. El arte auspiciado por el estado mexicano a través de San Carlos, tendió siempre a buscar los modelos europeos, así se precisó en un decreto gubernamental hecho para dar impulso a la Academia.

En Pelegrín Clavé concurrieron diversas tendencias artísticas; su estancia en Roma, su contacto con el nazareniano Overbeck y sus viajes por Europa, configuraron su producción artística. Sus alumnos como Felipe S. Gutiérrez, José Salomé Pina, Santiago Rebull y otros, ejecutaron obras de suma importancia

Painting and Sculpture in Mexico during the XIX Century

The event of greatest importance for Mexico in the early years of the 19th century was undoubtedly the national independence achieved in 1821. However, while New Spain had separated politically from old Spain, an economic dependence on Europe would be felt very soon and it in turn would cause a cultural dependence favored by the aristocracy. The semifeudal system inherited from colonial times produced an aristocratic art under the patronage of the state, an art that was presented as a model to the middle and working classes whose curious response to it must be considered in any explanation of the total artistic phenomenon of the period.

So-called "cultivated art" followed a line of development that was perpetuated with the inauguration of the Royal Academy of San Carlos in 1781. From Spain, as professors for the Academy, came several artists of the category of the engraver Jerónimo Antonio Gíl, the painter Rafael Jimeno y Planes, and the sculptor Manuel Tolsá; they introduced Neoclassical art in Mexico and were soon followed by the notable Mexican artists José Damián Ortiz de Castro, Francisco Eduardo Tresguerras, and José Luis Rodríguez Alconedo.

Neoclassic art spread beyond the Academy and even the Catholic church adopted it, abandoning the Baroque. The new style also fitted well with the ideology of the Independence in the Greco-Latin humanism of its classical forms, its many coincidences with the spirit of encyclopedism, and its aspirations of rationalism and progress.

The new art was soon enveloped by Romanticism which exalted sentiment as the basis for artistic creation. But, during the politically convulsive first half of the 19th century, the Academy decayed rapidly.

Neoclassic sculpture is most ably represented by the extraordinary equestrian statue of the emperor Carlos IV by Tolsá; and Neoclassic painting by the frescoes on the inner surface of the dome of Mexico City's Cathedral, by Jimeno y Planes.

The second half of the 19th century witnesses the revival of the Academy, due to the financial help of the State. This permitted the hiring of new teachers from Europe: Pelegrín Clavé, the painter; Manuel Vilar, the sculptor; and the landscape painter, Eugenio Landesio. Art, patronized by the Mexican state through the Academy, always looked to European models; in fact, this was explicitly stated in an official governmental decree that protected the Academy.

Several artistic tendencies were united in Pelegrín Clavé. During his stay in Rome, the contact with the "Nazarene" Overbeck and Clavé's trips about Europe shaped his artistic production. His disciples — Felipe S. Gutiérrez, José Salomé Pina, Santiago Rebull, and others — painted many important works with religious

para la iconografía religiosa, vinculadas obviamente a la tendencia espiritualista de los nazarenos.

Clavé trajo también el arte del retrato a la manera de Ingres y del Neoclasicismo francés. Si bien desde la época de la Colonia se ejercitaba este género artístico, no había aspirado al perfeccionismo purista del maestro. Además, heredaba el gusto de los temas históricos de la pintura europea y con todo este importante bagaje de tradiciones, influyó directamente en sus discípulos mexicanos.

No podemos sin embargo, atribuir toda la paternidad de la Escuela Mexicana del siglo XIX a Clavé. Hay que mencionar al magnífico pintor Juan Cordero, oriundo de México, quien se formó en Roma a mediados del siglo, tomando contacto con el mismo mundo donde se formó Clavé. La obra de Cordero destaca por su sofisticada calidad y abarca el retrato, los temas históricos y los religiosos.

El Paisajismo se desarrolló a partir del maestro Landesio. Este género cobró especial impulso entonces con su discípulo José Ma. Velasco, quien llevó más adelante, superando a su maestro, la representación artística del espacio atmosférico y de la luz. Una de las cumbres del arte mexicano de todos los tiempos, lo es este artista con sus famosos paisajes del Valle de México. El detalle minucioso resuelto con perfección, herencia de la Escuela de Roma, aparece también en otros artistas como Luis Coto y Mateo Saldaña.

La escultura de la segunda mitad del siglo, constituye un renacimiento después del Neoclásico y el vacío que siguió. La producción de los discípulos de Vilar adquirió gran calidad de oficio, y la temática deambuló entre alegorías de inspiración clásica, moral o sentimental, motivos religiosos y representación de personajes.

El grupo de escultores está representado por Felipe Sojo, autor de los magníficos bustos de Maximiliano y Carlota; Miguel Noreña, autor del Cuauhtémoc para el monumento a este héroe azteca; Gabriel Guerra, Epitacio Calvo, Tomás Pérez y Jesús Contreras, excelente artista, autor del "Monumento a La Paz" en Guanajuato.

El llamado Arte Popular correspondió a la producción de las clases medias y laborales. Son características suyas la espontaneidad, la falta de formación académica o bien, los patrones decantados como producción colectiva. Según el estrato social, se aceptaba o rechazaba el modelo oficial europeo.

La burguesía de la provincia emulando a la aristocracia propició un importante arte del retrato. Los múltiples grupos indígenas en cambio, con una tradición artesanal colonial, se encerraban dentro de sus comunidades rurales ante el fuerte impacto económico de la industria y las artesanías francesas e inglesas, que transformaban el arte popular urbano.

Tres pintores de la clase media se destacaron a lo largo del siglo. En ellos y en otros contemporáneos se ha

iconography that were obviously suited to the spiritual tendencies of the "Nazarenes."

Clavé also brought portraiture in the style of Ingres and French Neoclassicism. These styles had been practiced in Mexico earlier, but never with the purist perfectionism propounded by Clavé. In addition, his particular taste for the historical subjects of European painting was very influential on his Mexican disciples.

We cannot attribute the fathering of the Mexican School to Clavé alone. The magnificent painter, Juan Cordero, born in Mexico and educated in Rome at the middle of the century, had been in contact with the same world that shaped Clavé. Cordero's work is outstanding in its sophistication; in addition to religious and historical paintings he produced many excellent portraits.

Landscape painting received a great impulse from Eugenio Landesio and reached a climax with José María Velasco, his disciple, who by far surpassed him in the representation of atmospheric space and light. Velasco's landscapes of the Valley of Mexico are one of the highest achievements of Mexican art. The able handling of minute detail, inherited from the Roman School, is found also in such artists as Luis Coto and Mateo Saldaña.

Sculpture, during the second half of the century, had a true rebirth after the vacuum that followed Neoclassicism. The work of Vilar's disciples was of high technical quality and ranged in subject from allegories inspired by the classics, sentiment, or morality, to historical portraiture.

The main representatives of this group were: Felipe Sojo, author of the magnificent busts of emperor Maximilian and his wife Carlota; Miguel Noreña, who made the statue of the Aztec hero Cuauhtémoc; Gabriel Guerra, Epitacio Calvo, Tomás Pérez, and Jesús Contreras, the excellent artist who made the Monument to Peace in Guanajuato.

So-called "popular art" was produced by the middle and working classes. It is characterized by spontaneity and a lack of academic foundation, or rather, the modification of designs in collective production. Depending upon social status, the official European model was accepted or rejected.

The provincial bourgeoisie, imitating the nobility, were the stimulus to an important new art of portraiture. The many Indian groups, working within the colonial craft traditions, entrenched themselves in their rural communities as French and English industrial products and crafts transformed the popular art of the cities.

Three painters from the middle class were important in this century, and some writers think that they and their contemporaries may represent a kind of awakening nationalism. Art of this kind has always existed, as is seen in the "ex-votos" of the previous centuries - objects which tell us about the life of the ordinary person through the "miracles" that they

querido ver un despertar nacionalista. Arte de esta naturaleza siempre existió, ejemplo de ello son los ex-votos de los siglos anteriores que dan cuenta de la vida del pueblo a través de los milagros que representan. Los llamados pintores populares pintaron el mundo al que pertenecían con realismo y naturalidad.

Agustín Arrieta pintó escenas de la vida diaria y bien compuestos bodegones que son una relación pormenorizada de enseres y usos domésticos. José Ma. Estrada fue destacado retratista de la gente adinerada de la provincia, de los pequeños terratenientes y comerciantes; quizá es el más delicado de todos y Hermenegildo Bustos el más vigoroso. Este último retrató a gran número de personas de un nivel social más popular, con asombroso realismo y vigor expresivo. En las pinturas de estos artistas se puede observar claramente la estratificación social de la época.

No podemos concluir el panorama del arte en México en el siglo XIX sin mencionar la producción plástica de la clase trabajadora. Las condiciones sociales derivadas de los siglos anteriores, el tardío desarrollo industrial y el aislamiento de los grupos étnicos, propiciaron una rica y variada artesanía. A través de ella se expresó la plástica de los grupos trabajadores, uniéndose las seculares tradiciones indígenas a las españolas, a las negras y orientales; estas últimas llegadas anteriormente a través del Galeón de Manila, a partir de 1565. Las artesanías urbanas se adaptaban a veces a la sucesión de estilos europeos, como las destinadas a las clases altas. Están presentes el Neoclásico, el Romanticismo y el Art Nouveau.

La producción para el consumo popular rural se resolvió independientemente a través de las viejas tradiciones señaladas antes como producción colectiva, donde se advierte la capacidad innata del pueblo mexicano para adornar la vida diaria con objetos artísticos.

Felipe Lacouture

represent. The so-called "popular painters" expressed their own world with realism and naturalness.

Augustin Arrieta painted scenes from daily life and well-composed still lifes, paintings that are highly detailed accounts of household goods and domestic practices. José María Estrada painted portraits of wealthy provincials, small land owners, and merchants. He is perhaps the most refined of the portraitists and Hermenegildo Bustos the most vigorous. Bustos painted a great number of portraits of people of an even more popular level than Estrada with amazing realism and expressive vigor. In the painting of these artists one can clearly observe the social stratification of the period.

The panorama of Mexican art in the 19th century cannot be concluded without mentioning the artistic production of the working class. The social conditions inherited from previous centuries — a very late industrial development and the isolation of ethnic groups were responsible for a very rich and varied craft production. Through the crafts, the working classes found an outlet for expression, and in the resultant products we find an amalgam of traditions: Indian, Spanish, Black, and Oriental - all the components of the complex Mexican reality. At times, urban crafts tended to follow the succession of European styles, as high art did: thus we find Neoclassicism, Romanticism, and Art Nouveau also present in popular forms.

The character of crafts for popular consumption in rural areas remained independent, following the old traditions previously referred to as collective production. Notable in these objects is the inborn capacity of the Mexican people for adorning their daily life with artistic objects.

Felipe Lacouture

124
Bust of Hernán Cortés
Manuel Tolsá, 1757-1816

Bronze
27-3/16 in.
M.N.H.

The Valencian architect and sculptor, Manuel Tolsá introduced Neoclassicism in Mexico, arriving in 1791 with a full complement of plaster casts to become Director of Sculpture at the Academy of San Carlos. This bust made for the Hospital de Jesús represents the conqueror Cortés dressed in the elegant garb of a Renaissance prince. The coat of arms is that of the *Marquesado del Valle,* conferred upon Cortés with an enormous land grant by the Emperor Charles V as a reward for the conquest of Mexico. As a sculptor Tolsá is renowned for his monumental, revealing equestrian portrait of Charles IV (1803), known as "El Caballito" (The Little Horse); and as an architect for his Palacio de Minería, (1787- 1813), both in Mexico City.

124
Busto de Hernán Cortés
Manuel Tolsá, 1757-1816

Bronze
69 cm.
I.N.A.H.

Esta escultura fue realizada a principios del siglo XIX por Tolsá, qúien fue introductor del arte neoclásico en México. Representa al conquistador ataviado como príncipe renacentista y con gran elegancia. El escudo que lo acompaña es del Marquesado del Valle, que junto con las grandes tierras que se le entregaron, constituyó la recompensa de Carlos V por la conquista de México.

125
Doña María Luisa Gonzaga Foncerrada Labarrieta, 1806
José María Vázquez, active 1785-1819

Oil on canvas
40-3/8 x 30-5/16 in.
P.V.

Portraiture during the Viceregal period is second only in importance and quantity to religious painting. The excellent portraitist, José María Vázquez, was one of the first members of the Academy of San Carlos, established in 1785, and in time he became its director. His painting of an upper class woman is formally Neoclassic and yet it is both moving and candid, with no attempt made to conceal the unattractiveness of the sitter.

125
Doña María Luisa Gonzaga Foncerrada Labarrieta, 1806
José María Vázquez, active 1785-1819

Oleo sobre tela
1.025 x .77 m.
P.V.

El tema del retrato en la pintura del periodo virreinal, ocupa el segundo lugar en importancia y cantidad, sólo detrás de la de temas religiosas. José María Vázquez, excelente retratista, uno de los primeros pensionados de la Academia de San Carlos, de la que llegó a ser director, es el autor del que aquí se muestra, fechado en 1806; cuadro lleno de sinceridad y emoción, en el que el artista no ha intentado disimular la fealdad de la modelo, y ha alcanzado uno de los logros más singulares de la pintura de gusto neoclásico.

126
José María Morelos, 1812
Anonymous Mixtec artist

Oil on canvas
32-5/16 x 27-3/16 in.
M.N.H.

Non-academic paintings of national leaders were rarely contemporary with the Independence. An exception is this forceful image of the revered, popular leader inscribed: "Portrait of His Excellency Don José María Morelos, Captain General of the Armies of America, Member of His Government and Conqueror of the Southern Regions." At this moment in history Morelos headed the Mexican government in the southwest. Nothing is known of the artist except that, according to tradition, he was a Mixtec Indian working in Oaxaca. Remarkable is the penetrating observation of Morelos' strength of character, captured and retained within a Neoclassical format. The posture, the accouterments of the statesman-warrior, the embellishing drapery, and the oval frame within the rectangle are restated with a bravura that makes this one of the most outstanding portraits in the history of Mexican painting.

126
José María Morelos, 1812
Artista anónimo mixteco

Oleo sobre tela
82 x 69 cm.
M.N.H.

Las pinturas no académicas de los heroes nacionales muy raras veces fueron hechas durante la Independencia. Esta imagen llena de fuerza de uno de los líderes más reverenciados, es una excepción. Está inscrita con la siguiente leyenda: "Rto. del Exmo. Sor. Dn. Jose Maria Morelos Capitan General de los Exercitos de America. Vocal de su Suprema Junta y Conquistador del Rumbo del Sud". Nada se sabe del pintor, salvo una tradición que dice que era un indio mixteco que trabajaba en Oaxaca. Es notable la penetrante observación de la fuerza de carácter de Morelos, captada y retenida en el formato neoclásico. La postura, el atuendo del militar-estadista, el listón ornamental y el marco ovalado dentro de la forma rectangular, todo está ejecutado con una valentía tal, que hace de ésta uno de los retratos más notables en la historia de la pintura mexicana.

127
Portrait of the Child Manuela Gutiérrez, 1838
José María Estrada, 1810(?) - 1862(?)

Oil on canvas
38 x 29-5/16 in.
I.N.B.A.

While Estrada studied for a time in his native Guadalajara with an academic master, his own work developed in another, very personal direction. This portrait shows the delicate spontaneity of Estrada's art at its best. The semitransparency of the gauze fabric echoing the shape of the small body imparts an aura of tenderness to the painting. The incongruity between the coral jewels and the naked feet accentuate the graceful childishness of the girl.

127
Retrato de la Niña Manuela Gutiérrez, 1838
José María Estrada, 1810(?) - 1862(?)

Oleo sobre tela
96.5 x 74.5 cm.
I.N.B.A.

Este retrato de la niña Gutiérrez es característico de la delicadeza y espontaneidad del arte de Estrada. La gasa semitransparente al dejar entrever la silueta del pequeño cuerpo, le imprime una especial ternura. La incongruencia entre la presencia de las joyas de coral, tan usadas en México desde épocas coloniales y la falta de calzado, le otorgan a la imagen su mayor gracia infantil.

128
Portrait of José María Arochi, 1838
José María Estrada, 1810(?)-1862(?)

Oil on canvas
23-5/8 x 35-7/16 in.
I.N.B.A.

In the finicky young Arochi, the delicate and penetrating sensibility of Estrada shows the very common desire of the 19th century middle class to dress in the latest European fashion, and thus appear to belong to the upper class. Democratic and nationalistic sentiment did not really develop until the 1910 revolution.

128
Retrato de José María Arochi
José María Estrada, 1810(?)-1862(?)

Oleo sobre tela
60 x 90 cm.
I.N.B.A.

El sentido delicado y penetrante de Estrada puede sugerirnos en la atildada figura del joven Arochi, el deseo de la persona, muy común en la clase media del siglo pasado, por apegarse con exigencia a la moda europea y aparecer con una elegancia que puede hablar de un origen de clase alta. El sentimiento democrático y nacionalista sólo sobreviene con la revolución de 1910.

129
Banquet for General Antonio de León in Oaxaca
Anonymous

19th century
Oil on canvas
21-5/8 x 32-11/16 in.
M.N.H.

Non-academic painting during the 19th century recorded scenes from the daily life of common people with particular freshness and spontaneity. This painting represents a banquet in the city of Oaxaca for General Antonio de León, the commanding officer of the Oaxacan troops during the North American intervention in 1847.

129
Banquete al General Antonio de León en Oaxaca
Anónimo

Oleo sobre tela Siglo XIX
55 x 83 cm.
M.N.H.

La pintura no académica durante el siglo XIX reprodujo escenas de la vida común del pueblo, dentro de una espontaneidad y frescura particulares. Esta obra representa un banquete dado al General Antonio de León en la ciudad de Oaxaca, personaje que dirigió el regimiento originario de ese lugar, durante la intervención norteamericana en 1847.

130
Tlaxcaltecan Noblemen at the Time of the Conquest
Anonymous

19th century
Oil on canvas
46-7/16 x 37-13/16 in.
M.N.H.

This picture was previously attributed to Cifuentes, a 16th century painter invented by the historian, Count de La Cortina, who claimed Cifuentes was the first Spanish artist to come to Mexico. It is in reality an example of history painting in the tradition of Precolumbian codices, a kind of painting that continued to flourish in remote villages during the 19th century.

130
Nobleza Tlaxcalteca en la Epoca de la Conquista
Anónimo

Oleo sobre tela
118 x 96 cm.
M.N.H.

Esta pintura atribuída anteriormente a Cifuentes, autor apócrifo del siglo XVI, inventado por el historiador Conde de la Cortina, como el primer artífice europeo que pasó a México, es en realidad una obra del siglo XIX, que pertenece a un tipo de pintura histórica que seguía floreciendo en poblados indígenas distantes de la ciudad, como continuación de la tradición de los códices precolombinos.

131
Portrait of Miss Rosario Echeverría, 1847
Pelegrín Clavé, 1810-1880

Oil on canvas
41-5/16 x 70-1/2 in.
M.S.C.

As organizer and academician the Spaniard, Pelegrín Clavé, brought to Mexico what he had learned in Barcelona and Rome. His overwhelming interest in the Germans, especially Overbeck, did not overcome his early exposure to Ingres. In fact, despite his continual involvement with historical and religious subjects, his best paintings are portraits. Among these, this one of Rosario Echeverría is outstanding in its beautifully rendered surfaces and in the European elegance of the young woman who is still unmistakably Mexican.

131
La Señorita Echeverría, 1847
Pelegrín Clavé, 1810-1880

Oleo sobre tela
105 x 179 cm.
M.S.C.

Ejemplo del purismo del arte de Clavé es este retrato de aspiración perfeccionista de la hija del benefactor de la Academia, señor Don Javier Echeverría. La representación minuciosa del detalle, de las calidades diferentes de telas y texturas fueron características de su pintura, junto a la habilidad en lograr un parecido exacto. En su idealismo purista no omite sin embargo detalles que caracterizan a la retratada, aunque no contribuyan a realzar su belleza.

132
The Sculptors Pérez and Valero
Juan Cordero, 1824-1884

Oil on canvas
42-1/8 x 33-7/16 in.
I.N.B.A.

This excellent double portrait shows two young Mexican sculptors in Rome on a grant at the time Cordero was also working there. Cordero creates compositional interest in the placement of the salient elements of the painting: the two faces and the three hands; his reputation for precision and elegance are also apparent in this work.

132
Retrato de los Escultores Pérez y Valero
Juan Cordero, 1824-1884

Oleo sobre tela
107 x 85 cm.
I.N.B.A.

Este magnífico retrato doble presenta a dos escultores becados en Roma con rasgos genuinamente mexicanos. El interés de la composición lo logra Cordero con el movimiento de los rostros y de las tres manos pintadas. Las características de precisión y elegancia del pintor se nos hacen manifiestas en la obra.

133
Self Portrait, 1847
Juan Cordero, 1824-1884

Oil on canvas
30-3/4 x 48-3/8 in.
I.N.B.A.

Born in Teziutlán, Puebla, Cordero early in his career became one of the most important painters in 19th century Mexico. He studied for a time at the ailing Academy of San Carlos copying engravings and drawing from plaster casts. At twenty, despite economic difficulties, he went to Rome where some of his best work was done, including this serene, romantic self portrait painted in the same year as *The Sculptors Pérez and Valero*. Three years later he painted the ambitious *Columbus before the Catholic Kings* and sent it to Mexico explicitly for exhibition at the Academy — it was the first history painting of an American theme to be seen in the Mexican capital. Pelegrín Clavé, the Spaniard who had arrived in 1846 to revive the Academy, did not paint his *Isabel of Portugal* until four years later.

133
Autorretrato, 1847
Juan Cordero 1824-1884

Oleo sobre tela
1.03 x .82 m.
I.N.B.A.

Juán Cordero nació en Teziutlán, Puebla, y desde muy temprano en su carrera llegó a ser uno de los más importantes pintores del siglo XIX en México. Por algún tiempo estudió en la Academia de San Carlos, copiando grabados y vaciados en yeso. A los veinte años, a pesar de sus dificultades económicas, se fue a Roma donde hizo algunos de sus mejores trabajos, incluyendo este sereno y romántico autorretrato pintado el mismo año que "Los Escultores Pérez y Valero." Tres años más tarde pintó el ambicioso cuadro "Colón ante los Reyes Católicos" y lo envió a México, indicando explicitamente que era para exhibirse en la Academia. Era ésta la primera pintura sobre tema histórico americano que se veía en México. Pelegrín Clavé, el español que había llegado en 1846, a dirijir la Academia, no pintó su "Isabel de Portugal" sino hasta cuatro años más tarde.

134
Portrait of His Wife, 1860
Juan Cordero, 1824-1884

Oil on canvas
30-3/4 x 48-3/8 in.
I.N.B.A.

Shortly after his return from Rome in 1853, Cordero dramatically refused the Academy's assistant directorship of painting under Clavé, whom he called a non-artist. Instead he pursued their rivalry by painting two striking romantic academic portraits of General Santa Ana and his wife Doña Dolores Tosta. He then designed and executed wall paintings for the Iglesia de Jesús María followed by a cycle for the walls and cupola of the Capilla del Cristo de Santa Teresa; in style both are reminiscent of Renaissance frescoes. In 1858-1859 he decorated the cupola of San Fernando, without a fee, for the Franciscans; during the project he met Srta. Angela Osio whom he married and painted in 1860. In her portrait he returns to the candor of his Roman manner. Justino Fernández considers the portrait, along with that of *The Sculptors Pérez and Valero*, Cordero's best and most original work.

134
Retrato de Su Esposa, 1860
Juan Cordero, 1824-1884

Oleo sobre tela
1.03 x .82 m.
I.N.B.A.

Poco tiempo después de su regreso de Roma, en 1833, Cordero dramaticamente rehusó el puesto de subdirector de pintura en la Academia, bajo Clavé, al cual llamaba un no-artista. Prefiró, al contrario, seguir su rivalidad pintando el retrato del Gral. Santa Ana y también el de su esposa Doña Dolores Tosta. Después diseñó y ejecutó pinturas murales para la Iglesia de Jesús María y luego para la Capilla del Cristo de Sta. Teresa; ambos reminicentes de los frescos renacentistas. De 1858 a 59 decoró la cúpula de Sn. Fernando, gratuitamente, para los Franciscanos; durante este projecto conoció a la Sta. Angela Osio, se casó con ella y la pintó en 1860. En este retrato regresa al candor de su estilo romano. Justino Fernández considera que este retrato, junto con "Los escultores Pérez y Valero," son lo mejor y más original de su obra.

135
The Train to La Villa, 1869
Luis Coto, 1830-1891

Oil on canvas
28-9/16 x 44-1/8 in.
I.N.B.A.

Intensified industrialization in Mexico during the 19th century made the development of railways necessary. This painting shows the train from Mexico City arriving in La Villa - then a village but now an integral part of the city - the site of the famous Basílica de Guadalupe which then as now was the main center of Catholic devotion in the country. Due to the novelty of locomotives, many 19th century artists included them in their paintings.

135
El Tren de La Villa, 1869
Luis Coto, 1830-1891

Oleo sobre tela
72.5 x 112 cm.
I.N.B.A.

La industrialización de México se intensificó durante la segunda mitad del siglo XIX y se desarrollaron los ferrocarriles. La Basílica Guadalupana se representa en esta pintura, así como el tren que unía a La Villa de Guadalupe con la Ciudad de México, que forman actualmente un solo conjunto urbano. La novedad de las máquinas motivó a muchos pintores a representarlas en el paisajismo realista del siglo XIX.

136
Still Life with Saucepan
Félix Parra, 1845-1919

Oil on canvas
19-1/8 x 38-3/16 in.
I.N.B.A.

Parra always manifested a particular skill and predisposition for constructivism, evident in his small watercolors of urban landscapes, that presages the work of many contemporary abstractionists. This aspect of his art is also present in his well structured still lifes with their harmoniously proportioned spaces and carefully drawn objects.

136
Bodegón con Cacerola
Félix Parra, 1845-1919

Oleo sobre tela
48.5 x 97 cm.
I.N.B.A.

Parra manifestó siempre particular habilidad y disposición hacia un constructivismo con el que sobresale en sus pequeños paisajes urbanos a la acuarela, que presagian a muchos abstractos contemporáneos. Esta condición y calidad en su arte, no está ausente en sus bien estructurados bodegones que presentan gran armonía de proporciones y espacios en la exactitud de los objetos representados.

137
The Senate of Tlaxcala
Rodrigo Gutiérrez, 1848-1903

Oil on canvas
90-15/16 x 74 in.
I.N.B.A.

Tlaxcallan (now Tlaxcala) was the name of a confederation of four Indian nations, each contributing one senator to represent the nation at meetings like the one we see in this painting. The interest in the remote past began with some Mexican painters of the 19th century, as a transposition of European historical painting. Rodrigo Gutíerrez attempted for the first time to represent authentic Indian types, in this case with actual models from Tlaxcala, abandoning the Greco-Latin standards of beauty. In this scene, the drama is emphasized by an able distribution of light and by fine architectonic and decorative details that have no archeological authenticity.

137
El Senado de Tlaxcala
Rodrigo Gutiérrez, 1848-1903

Oleo sobre tela
231 x 188 cm.
I.N.B.A.

Tlaxcallan, hoy Tlaxcala, era el nombre de la confederación de cuatro naciones prehispánicas cuyos senadores, "tecutlatos" aparecen reunidos en esta pintura. El interés por el remoto pasado de los mexicanos se inició entre algunos artistas del siglo XIX, como transposición de los grandes temas históricos de la pintura europea. Rodrigo Gutiérrez intentó por vez primera la representación de tipos indígenas auténticos, en este caso tlaxcaltecas de origen, abandonando la selección de tipos de belleza clásica grecolatina. El conjunto es dramático por la forma de usar la luz, los detalles arquitectónicos y decorativos son bellos pero no tienen autenticidad arqueológica.

138
Pyramid of the Sun, 1878
José María Velasco, 1840-1912

Oil on paper
12 x 17-1/16 in.
M.A.M.

This interesting view of Teotihuacan, the Old City of the Gods, shows the state of the Pyramid of the Sun before the restorations of 1905 changed its silhouette. We can see the great mass of the pyramid and the so called Road of the Dead - Miccaotli bordered by the mounds that then concealed the structures that are now uncovered.

138
Pirámide del Sol, 1878
José María Velasco, 1840-1912

Oleo sobre papel
30.5 x 45 cm.
M.A.M.

Esta interesante y bella vista de Teotihuacan, la Antigua Ciudad de los Dioses, nos muestra el estado que presentaba la Pirámide del Sol antes de las restauraciones de 1905 que alteraron su silueta. Se aprecia la Pirámide del Sol y la gran Avenida de los Muertos -Miccaotli- bordeada de montículos que ocultaban estructuras arquitectónicas hoy descubiertas.

139
A Cavalcade near Mexico City, 1886
José María Velasco, 1840-1912

Oil on canvas
28-3/8 x 38-9/16 in.
M.A.M.

Mexico City in the 19th century was a mere fraction of its present size, and it had many places of great natural beauty that have disappeared with urban growth. These places were frequented by the rich and the poor on holidays, and some were called *arboledas,* or little woods. They were particularly abundant in the vicinity of Tacubaya and Tlalpan. The huge Mexican conifers and ashes were typical of the Valley of Mexico.

139
Un Paseo por los Alrededores de México, 1886
José María Velasco, 1840-1912

Oleo sobre tela
72 x 98 cm.
M.A.M.

La Ciudad de México ocupaba en el siglo XIX una superficie considerablemente menor y existían lugares de gran belleza que ahora han desaparecido con el crecimiento urbano. Eran frecuentados por ricos y pobres durante los días de descanso, y muchos de ellos constituían las llamadas "arboledas" que no llegaban a ser bosques grandes, en sitios como Tacubaya y Tlalpan. El ahuehuete y el fresno eran árboles característicos del Valle de México y se daban en grandes dimensiones.

140
The Hacienda of Chimalpa, 1893
José María Velasco, 1840-1912

Oil on canvas
41-5/16 x 63 in.
M.A.M.

Among the best of Velasco's paintings is this representation of the grandiosity of space in the Mexican landscape. It has been said that in this view of the Valley of Mexico Velasco painted light itself, the full light of day in the atmospheric purity of the high plateau: a "triumph of light."

140
La Hacienda de Chimalpa, 1893
José María Velasco, 1840-1912

Oleo sobre tela
105 x 160 cm.
M.A.M.

Una de las mejores obras de Velasco es esta pintura en la que la representación del espacio grandioso del paisaje mexicano llega a su máximo. Se ha dicho que en esta vista de las cercanías del Valle de México, Velasco pintó la luz misma, luz del pleno día en la claridad atmosférica de la Altiplanicie; se dice que pintó "el triunfo de la luz", su momento culminante.

141
The Wake, 1889
José María Jara, 1866-1939

Oil on canvas
70-1/16 x 52-3/4 in.
I.N.B.A.

In this painting by Jara, as in others by his contemporaries at the turn of the century, a kind of populism begins to appear which later will be developed masterfully by Diego Rivera. This traditional Mexican scene shows a peasant family praying in a chapel before a dead person who is only partially seen. The custom of praying throughout the night before the burial was called *velorio*. Jara built a strong interplay of chiaroscuro, effectively using the candlelight that was normal for this ceremony.

141
El Velorio, 1889
José María Jara, 1866-1939

Oleo sobre tela
178 x 134 cm.
I.N.B.A.

En esta obra y las de otros contemporáneos, de fines del siglo XIX y principios del XX, se advierte un populismo inicial que con posterioridad desarrolló en forma magistral Diego Rivera. La escena tradicionalmente mexicana, representa a una familia de campesinos orando en una capilla ante una persona muerta. La luz de los cirios, de uso común en estas ceremonias fúnebres populares, dio motivo al pintor para manejar un atractivo y bien resuelto claroscuro.

142
Bust of Doña Carmen Romero Rubio de Díaz
Jesús Contreras, 1866-1902

Marble
36-1/4 in.
M.N.H.

Jesús Contreras, one of the best sculptors of the late 19th century, made this elegant, genteel bust of the wife of the dictator of Mexico, General Porfirio Díaz, whom she married in 1881. Doña Carmen was the daughter of Manuel Romero Rubio, Minister of the Interior during Díaz's government and a member of the group known as "the Scientists." Born in Aguascalientes and academically trained both at San Carlos and in Paris, Contreras is probably the only Mexican sculptor of this period whose work expressed the spirit of the century's end and the Europeanized and dictatorial "Porfirian peace".

142
Busto de Doña Carmen Romero Rubio de Díaz
Jesús Contreras, 1866-1902

Mármol
92 cm. x 70 cm. x 50 cm.
M.N.H.

La esposa del General Porfirio Díaz, en este mármol de indudable elegancia y garbo, fue representada por Jesús Contreras, uno de los mejores escultores de la segunda mitad del siglo XIX, discípulo de Manuel Vilar en la Academia de San Carlos. Doña Cármen Romero Rubio era hija de Manuel Romero Rubio, quien fue Secretario de Gobernación durante el gobierno de Díaz y miembro del grupo llamado "Los Científicos". Doña Carmen contrajo matrimonio con Porfirio Díaz en 1881.

124
Bust of Hernán Cortés   *Manuel Tolsá*
Busto de Hernán Cortés

125
Doña María Luisa Gonzaga Foncerrada
Labarrieta   *José María Vázquez*

126
José María Morelos   *Anonymous*

127
Portrait of the Child Manuela Gutiérrez   *José María Estrada*
Retrato de la Niña Manuela Gutiérrez

128
Portrait of José María Arochi   *José María Estrada*
Retrato de José María Arochi

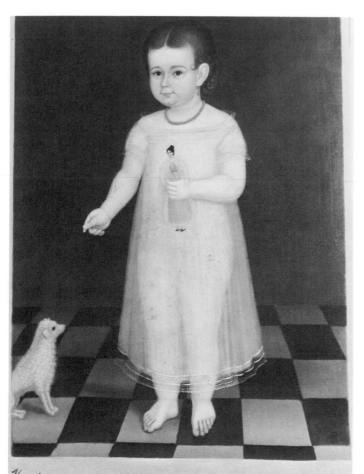

Manuela Gutierrez, retratada de un año y cuatro meses de edad el 4.° de Octubre de 1838.

129
Banquet for General Antonio de León in
Oaxaca   *Anonymous*
Banquete al General Antonio de León en
Oaxaca

130
Tlaxcaltecan Noblemen at the Time of the
Conquest   *Anonymous*
Nobleza Tlaxcalteca en la Epoca de la
Conquista

131
Portrait of Miss Rosario Echeverría   *Pelegrín Clavé*
La Señorita Echeverría

132
The Sculptors Pérez and Valero   *Juan Cordero*
Retrato de los Escultores Pérez y Valero

133
Self Portrait *Juan Cordero*
Autorretrato

134
Portrait of His Wife *Juan Cordero*
Retrato de Su Esposa

135
The Train to La Villa   *Luis Coto*
El Tren de La Villa

136
Still Life with Saucepan   *Félix Parra*
Bodegón con Cacerola

The Senate of Tlaxcala   *Rodrigo Gutiérrez*
El Senado de Tlaxcala

138
Pyramid of the Sun   *José María Velasco*
Pirámide del Sol

139
A Cavalcade near Mexico City   *José María Velasco*
Un Paseo por los Alrededores de México

140
The Hacienda of Chimalpa *José María Velasco*
La Hacienda de Chimalpa

141
The Wake *José María Jara*
El Velorio

142
Bust of Doña Carmen Romero Rubio de
Díaz *Jesús Contreras*
Busto de Doña Carmen Romero Rubio de
Díaz

José Guadalupe Posada, 1852—1913

El grabado recibió gran impulso en México, a principios del siglo XIX, con la llegada de la litografía: muy pronto empezó a desarrollarse una importante escuela crítica-satírica. Comenzando con Gahona, que tomó el seudónimo de "Picheta", la sátira política floreció en volantes y periódicos. A fines del siglo, en la ciudad de México, Manuel Manilla y José Guadalupe Posada se expresaban en imágenes verdaderamente populares.

Nacido en Aguascalientes, Posada aprendió litografía en el taller de Don Trinidad Pedroza. A los veinte años ya era conocido por sus ilustraciones en el periódico dominical "El Jicote". En 1872 se cambió a León, Guanajuato, donde instaló un negocio de imprenta hasta 1887, cuando las terribles inundaciones y, quizás también, los malos negocios, lo decidieron a transladarse a la capital.

Posada fue capaz de entender la tradición popular auténtica y de adaptarla a su propio tiempo, mucho mejor que cualquier otro artista mexicano del siglo XIX. En miles de grabados en metal de tipo o en zinc, expresó la vida diaria de México en canciones, corridos, eventos, fábulas, historias y ejemplos morales derivados de atrocidades. Entre sus más poderosas, fantásticas y divertidas creaciones se encuentran los esqueletos animados que, *pars pro toto,* se llamaban "calaveras": las había individuales y colectivas: de Madero, de Don Quijote, de las Bicicletas, de los Barrenderos, etc. Cortantes en su comentario social, las calaveras combinan herencias precolombinas y españolas: Mictlantecuhtli, Dios de los Muertos y Coatlicue dadora de vida y muerte, junto con las danzas macabras de Europa y el *memento mori* católico. Sin embargo, su humor es típicamente mexicano, algo que no existe, ni en el arte precolombino, ni en el español.

José Guadalupe Posada, 1852—1913

Printmaking in Mexico was stimulated early in the 19th century with the advent of lithography, and an important critical-satirical genre began to develop. Beginning with Gahona, who took the pseudonym of Picheta, political satire flourished in the handbills and newspapers of the time. At the close of the century in Mexico City, working with the editor Vanegas Arroyo, Manuel Manilla and José Guadalupe Posada were communicating with truly popular images.

Born is Aguascalientes, Posada learned lithography in the workshop of Don Trinidad Pedroza. At twenty he was already known for his illustrations in the Sunday paper, *El Jicote.* He moved on in 1872 to León, Guanajuato, where he carried on a largely commercial printmaking business until 1887 when the terrible floods, coupled perhaps with limited opportunities, caused him to move to the capital.

Posada, probably more than any other 19th century artist in Mexico, was able to understand the authentic popular tradition and adapt it with a broad vision to his own time. On thousands of type-metal or zinc plates he expressed the daily life of Mexico in songs, ballads, events, fables, stories, and moral examples derived from atrocities. Among his most powerful, fantastic, and amusing creations are the animated skeletons called *calaveras,* individual and collective, from *Madero* and *Don Quijote* to the *Bicycles* and the *Street Cleaners.* Trenchant in their social commentary, *calaveras* combine both the Precolumbian and Spanish heritage of Mexico — Mictlantecuhtli, the god of death, and Coatlicue, giver of life and death with the European dance-of-death and the *memento mori.* Yet their humor is typically modern Mexican, a characteristic not shared by the art of either Precolumbian Mexico or Spain.

José Guadalupe Posada, 1852-1913

143
Calavera of Don Quijote

This is the first, peerless,
Gigantic, *Calavera* of Don Quijote.

Confess right now if you would not be
A *Calavera* caught in mortal sin.
Not fearing or respecting even Kings
This skeleton will enforce his law.

Here is Don Quijote's
Valiant *Calavera*,
Ready to do battle
With anyone who dares oppose him.

No priests, no writers,
No scholars, no doctors,
No man will escape
His abuses.

Engraving on type metal
5-7/8 x 11 in.
I.N.B.A.

143
Calavera de Don Quijote

A confesarse al punto el que no quiera
en pecado volverse calavera.
Sin miedo y sin respeto ni a los reyes
este esqueleto cumplirá sus leyes.

Aquí está de Don Quijote
la calavera valiente,
dispuesta a armar un mitote
al que se le ponga enfrente.

Ni curas ni literatos,
ni letrados ni doctores,
escaparán los señores
de que les dé malos ratos.

Grabado en metal de tipo
15 x 28 cm.
I.N.B.A.

144
Sad End of Gerardo Nevraumont

Engraving on type metal
5-1/2 x 8-7/16 in.
I.N.B.A.

144
Triste Fin de Gerardo Nevraumont

Grabado en metal de tipo
14 x 21.5 cm.
I.N.B.A.

145
The Seven Deadly Sins

Engraving on type metal
3-9/16 x 5-7/8 in.
I.N.B.A.

145
Los Siete Pecados

Grabado en metal de tipo
9 x 15 cm.
I.N.B.A.

146
Booklet: The Toy Vendor

Engraving on type metal
3-15/16 x 3-15/16 in.
I.N.B.A.

146
Cuento: El Vendedor de Juguetes

Grabado en metal de tipo
10 x 10 cm.
I.N.B.A.

147
Witty and Amusing *Calavera* of Doña Tomasa and Simon the Water Carrier

Engraving on type metal
5-7/8-x 8 11/16 in.
I.N.B.A.

147
Chispeante y Divertida Calavera de Doña Tomasa y Simón el Aguador

Grabado en metal de tipo
15 x 22 cm.
I.N.B.A.

148
Moral Example: Worthless Daughter Who Kills Her Beloved Parents

Engraving on type metal
4-3/4 x 3-15/16 in.
I.N.B.A.

148
Ejemplo: Infame Hija Que Da Muerte a Sus Queridos Padres

Grabado en metal de tipo
12 x 10 cm.
I.N.B.A.

149
Corrido: The Snail

Zincograph
3-9/16 x 4-15/16 in.
I.N.B.A.

149
Corrido: El Caracol

Zincografía
9 x 12.5 cm.
I.N.B.A.

150
Calavera of the Street Cleaners

Step aside guys
If you don't want a beating;
Death has no equal
When armed with a broom.

I tried to grab a guy's *Calavera*
And the bastard forced me to sweep!
Not even death escapes his rancor;
And here I am with all these skaters.

(Street sweepers were called "skaters"
because of their long rhythmic gestures.)

Engraving on type metal
4-3/4 x 8-1/16 in.
I.N.B.A.

150
Calavera de los Patinadores

Haciéndose a un lado vales,
si no quieren una soba,
la muerte no tiene iguales
cuando la arman con escoba.

Pescar quisé a un germán la calavera
y me trajo a barrer el muy tronera.
Ni la muerte se escapa a sus rencores,
y aquí estoy entre mil patinadores.

Grabado en metal de tipo
12 x 20.5 cm.
I.N.B.A.

151
The Suicide

(The man hanged from a balustrade on Rejas de Balvanera Street. Horrible suicide, Monday, January 8, 1892.)

Engraving on type metal
4-3/4 x 3-15/16 in.
I.N.B.A.

151
El Suicida

(El ahorcado en la calle de las Rejas de Balvanera. Horrible suicidio el lunes 8 de enero de 1892.)

Grabado en metal de tipo
12 x 10 cm.
I.N.B.A.

152
Corrido: Assassination of Captain Calapiz

Engraving on type metal
3-15/16 x 7-1/2 in.
I.N.B.A.

152
Corrido: Fusilamiento del Capitán Calapiz

Grabado en metal de tipo
10 x 19 cm.
I.N.B.A.

153
Calavera **Huertista**
J. G. Posada (?)

Zincograph
8-9/10 x 8-9/10 inches
I.N.B.A.

153
Calavera Huertista
J. G. Posada (?)

Zincografía
21.7 x 21.7 cm.
I.N.B.A.

154
Dialogue of the *Calaveras*

(from "The Great Cemetery of Lovers":

"Hey you, don't be so jealous"
"Do you think I'm blind?"
"If someone tried to woo me,
he might as well be dead")

Engraving on type metal
3-1/8 x 2-9/16 in.
I.N.B.A.

154
Diálogo de Calaveras

("El gran pantéon amoroso":

"Adiós; no ande de celoso"
"Me cree con los ojos tuertos?"
"Si alguno me hiciera el oso
se contaba entre los muertos.")

Grabado en metal de tipo
8 x 6.5 cm.
I.N.B.A.

143
Calavera of Don Quijote
Calavera de Don Quijote

144
Sad End of Gerardo Nevraumont
Triste Fin de Gerardo Nevraumont

145
The Seven Deadly Sins
Los Siete Pecados

146
Booklet: The Toy Vendor
Cuento: El Vendedor de Juguetes

148
Moral Example: Worthless Daughter Who Kills Her Beloved Parents
Ejemplo: Infame Hija Que Da Muerte a Sus Queridos Padres

147
Witty and Amusing Calavera of Doña
Tomasa and Simón the Water Carrier
Chispeante y Divertida Calavera de Doña
Tomasa y Simón el Aguador

149
Corrido: The Snail
Corrido: El Caracol

150
Calavera of the Street Cleaners
Calavera de los Patinadores

151
The Suicide
El Suicida

152
Corrido: Assassination of Captain Calapiz
Corrido: Fusilamiento del Capitán Calapiz

153
Calavera Huertista

154
Dialogue of the Calaveras
Diálogo de Calaveras

20th Century Art

Arte del Siglo XX

Mexico y la Imagen Visual de Su Identidad

Poco antes de estallar la revolución mexicana de 1910, algunos jóvenes aprendices de la Academia de San Carlos, entre los que se encontraban Orozco y Saturnino Herrán, gestaban su particular revuelta artística cuyos ideales serían coherentes con aquellos proclamados por el movimiento armado.

La revolución trajo consigo una necesaria redefinición de lo mexicano. Durante el siglo XIX, después de las guerras de independencia, los países de América Hispana desechan el modelo político de los conquistadores y miran hacia la Europa desarrollada, adoptando la estructura democrática en lo jurídico. En cuanto a la cultura no se imaginó la posibilidad de los propios recursos; el paradigma lo constituía el arte, la literatura y la filosofía francesca.

Movimiento de múltiples significados y consecuencias, la revolución desencadenó una nueva imagen visual del país; a la creación de ésta se adelantaron un pequeño grupo de jóvenes pintores de la academia.

Recién llegado de Europa el Dr. Atl, quien trabajaba en un pequeño estudio en San Carlos, solía conversar con los alumnos mientras éstos aplicadamente copiaban del natural hasta producir una perfecta semblanza de la realidad. Con voz exaltada el Dr. Atl, no sólo relataba su descubrimiento del gran arte mural renacentista y la necesidad de revivirlo en México; hombre de vocación rebelde estaba en contra de la academia, del gobierno de Díaz y de la cultura importada que regía en México.

"Al calor de estas conversaciones", relata Orozco en sus memorias, "por primera vez los pintores tomaron conciencia del país en el que vivían. Saturnino Herrán pintaba tipos criollos en vez de Manolas al estilo de Zuloaga. El Dr. Atl se fue a vivir al Popocatépetl y yo empecé a explorar los barrios más bajos de la ciudad. En cada cuadro empezó a aparecer, pedazo a pedazo como un amanecer el paisaje mexicano, formas y colores que nos eran familiares. Era el primer paso aún tímido hacia la liberación de la tiranía extranjera, respaldada por una preparación metódica y un entrenamiento riguroso". [1]

Sin embargo, no todo el arte mexicano que predominó durante los primeros cincuenta años del siglo se gestó en las aulas de la academia. No muy lejos de San Carlos, en una pequeña imprenta propiedad de Vanegas Arroyo, editor de cosas tan dispares como libros de cuentos para niños, corridos y periódicos sensacionalistas, trabajaba como ilustrador José Guadalupe Posada. Posada desempeñaba su trabajo tras grandes ventanales a la vista de los transeuntes. Orozco y Rivera recuerdan la fascinación que el extraordinario grabador ejerció sobre su imaginación de adolescentes y cómo les impulsó a cubrir el papel con las primeras figuritas.

---

[1] *José Clemente Orozco, an Autiobiography.* University of Texas press., 1962. p. 21.

Mexico and the Visual Image of Its Identity

Shortly before the beginning of the Mexican Revolution in 1910, some young students at the Academy of San Carlos in Mexico City — among them José Clemente Orozco and Saturnino Herrán — were fomenting their own artistic revolt, the ideals of which were coherent with those proclaimed by the armed movement.

With the Revolution came the necessity to redefine what was "Mexican." During the 19th century, after the War of Independence, Hispanic America rejected the political model of the conquerors and looked toward developed Europe, adopting the democratic, legal system of government. In the cultural sphere, no one imagined the possibility of using his own resources: the artistic paradigm was still French literature and philosophy.

A movement of multiple significance and consequences, the Revolution generated a new visual image of the country, and a small group of young painters from the Academy came forward to express it.

Recently arrived from Europe and working in a small atelier at the Academy, Dr. Atl would talk with his students while they industriously copied from nature until they achieved a perfect resemblance to reality. In an exalted voice, he described his discovery of Renaissance mural painting and the necessity of reviving it in Mexico. A natural rebel, he was opposed to the Academy, the government of General Díaz, and the imported art that dominated Mexico.

José Clemente Orozco says in his autobiography, "In the heat of these conversations painters, for the first time, became conscious of the country in which they lived. Saturnino Herrán painted national types instead of Spanish *Manolas* in Zuloaga's style. Dr. Atl went to live at the foot of Popocatepetl and I began to explore the slums of Mexico City. In each new painting, bit by bit, the true Mexican landscape began to emerge, forms and colors that were familiar to us. That was the first timid step toward liberation from foreign tyranny, but it was backed by methodical preparation and rigorous training." [1]

But not all the art that dominated the first half of our century was generated by the Academy. Not far from San Carlos, in a small printing shop belonging to Vanegas Arroyo, editor of such disparate publications as children's books, *corridos*, and yellow sheets, José Guadalupe Posada worked as an illustrator. His engraving table was near a big window that could be seen clearly from the street. Orozco and Rivera recall the fascination that this extraordinary engraver exerted over their adolescent imaginations, leading them to make their first inept drawings.

Posada, image-maker of the people, captured with profound black humor numerous aspects of daily life

---

[1] *José Clemente Orozco, an Autiobiography.* University of Texas press., 1962. p. 21.

Posada, imaginero del pueblo, captó con humor macabro distintos aspectos de la vida cotidiana en el México del novecientos. Aparecen con esplendor de detalle escenas colectivas; sucesos de la revolución, incidentes de cantina y catástrofes de toda índole. Para los trabajadores: mineros, aguadores y obreros, reserva una línea de vuelo monumental que suspende la ironía. Posada anticipa los futuros protagonistas heroicos de la pintura mexicana: los trabajadores y también las efigies idealizadas de los héroes de la revolución. Con las calaveras que permanecen su creación más original establece un diálogo juguetón: esqueletos que bailan, cocinan y tocan instrumentos musicales. Así como los académicos rendían culto al cuerpo y a su divina proporción, Posada dibuja una anatomía sin carne ni músculo que le permite con gran anticipación adoptar los principios formales del expresionismo. El cuerpo toma vida no en cuanto imagen de belleza transmisora de las cualidades morales, como pretendía el neoclasicismo, sino motivada por las pasiones y conflictos que ocurren cada día.

Posada, revelador de un arte mexicano fincado en su propia realidad social y el Dr. Atl, explorador de su propia geografía como un síntoma claro de una búsqueda de identidad nacional, juntos abren el camino de la pintura mexicana.

Orozco, Rivera y Siqueiros, forjadores del movimiento mural que se inicia en 1922, unidos en la creación de tan importante proyecto, guardan como artistas e ideólogos diferencias notables.

José Clemente Orozco se revela tanto en la pintura mural como en su vasta obra de caballete, como un humanista que deposita su fe en el hombre ye por el contrario demuestra una enorme desconfianza por los sistemas políticos que le rigen. La figura humana domina el espacio siempre en el primer plano del ojo del espectador. Un colorido disonante y audaz evocador de estados de ánimo aparece al lado de los refinados tonos grises y las escuetas líneas negras de sus magníficos dibujos. Ello afirma a Orozco como un artista comprometido con el contenido de su obra, quien pone al servicio de una idea rectora, su oficio de pintor.

Diego Rivera, formado en la academia y después en Europa durante catorce años (1907-1921), hace el aprendizaje riguroso del cubismo para después abandonarlo y dedicarse a la creación de un estilo propio. En contraste con Orozco, Rivera cree en el mundo moderno, en un nuevo orden humano que surgirá de las conquistas del socialismo. La máquina en la pintura de Rivera aparece como elemento fundamental en el surgimiento de una nueva civilización. Si bien Orozco se complace en una composición barroca de enormes diagonales, Rivera se pronuncia por una construcción lineal al estilo de los primitivos italianos donde cada escena es descriptiva de la acción concreta.

En la pintura de caballete del joven Rivera destaca la obra cubista por la plena comprensión del nuevo uso

in Mexico during the early 1900's. With brilliant detail he engraved mass scenes, revolutionary feats, barroom incidents, and all kinds of catastrophes. He reserved for the workers, miners, water carriers, and other humble people a special kind of monumental line that avoided irony. Posada anticipated the future heroic protagonists of Mexican painting: workers and idealized figures of revolutionary leaders. He established a playful dialogue with his most original creation, the skeletons (las calaveras): they dance, cook, and play musical instruments. Just as the academicians worshipped the body and its divine proportions, Posada drew an anatomy without flesh or muscle, anticipating the formal principles of Expressionism. The body is alive not because it is an image of beauty that transmits moral qualities, as Neoclassicism contended, but because it is motivated by the conflicts and passions of daily life.

Posada in revealing a Mexican art based on its own social reality and Dr. Atl in exploring the country's geography — a symptom of the search for national identity — together opened the way to Mexican painting.

While Orozco, Rivera, and Siqueiros — forgers of the mural movement that began in 1922 — were united in the creation of that important project, they retain notable differences as artists and ideologists.

José Clemente Orozco, a humanist in his murals as in his vast production of easel work, manifested his faith in man while showing enormous mistrust of political systems. The human form always dominates the foreground of his paintings. Dissonant, audacious, evocative color accompanies the refined gray tones and dry black lines of his magnificent drawings. An artist firmly committed to the content of his work, he placed his craft at the service of a governing idea.

Diego Rivera, after first studying at the Academy of San Carlos, spent fourteen years in Europe (1907-1921). There he underwent a rigorous apprenticeship as a Cubist, but later abandoned this school to create his own style. In contrast with Orozco, Rivera believes in the modern world, in a new and better human order that would evolve from the conquests of Socialism. In his paintings, machines appear as fundamental elements for the resurgence of a new civilization. While Orozco delighted in baroque, boldly diagonal compositions, Rivera preferred a linear construction similar to that of the Italian primitives with each scene describing a concrete action.

In his easel painting, the young Rivera showed full comprehension of Cubist space. Later, the bodies and faces of Indians became the main subjects of his oils and drawings, and the restricted, rational color schemes of his European period gave way to brighter, more intense colors. As Orozco leaned toward concepts and universals, Rivera told stories in his painting, aspiring to educate through the visual image.

del espacio que este movimiento implicó. Más adelante los cuerpos y rostros del indígena serán tema de óleos y dibujos; el color riguroso y racionalmente aplicado de la época europea experimentará un cambio notable al pronunciarse en favor de tonos altos y brillantes.

Rivera cuenta historias y aspira a una educación por medio de la imagen, Orozco se inclina por el concepto y las ideas universales.

David Alfaro Siqueiros, fuerza organizadora del muralismo y de su manifiesto, se interesó vivamente por la concepción de movimiento en un arte tradicionalmente estático como la pintura. La idea rectora que predomina en la obra mural de Siqueiros es el cambio social, de ahí su atracción por el futurismo como expresión plástica de la dinámica política.

Dibujante de fina sensibilidad como lo muestra su obra de caballete, abandona las imágenes tradicionales por un expresionismo brutal donde el elemento iconográfico fundamental va a ser el gigantismo de las manos, símbolo del arraigo a la tierra y de la lucha constante.

De los así llamados "tres grandes", Rivera fue quien más se preocupó por crear un arte nacional. Ello no solo aparece en su obra, se manifiesta en un estilo de vida. Junto con su esposa de muchos años, Frida Kahlo rindió culto a la belleza de lo mexicano. Vivían la cotidianidad rodeados de objetos prehispánicos, de artesanías, de colores y plantas libres del gusto europeo.

Frida cultiva en su pintura no solo la imagen de su propio dolor, la terrible nostalgia por un hijo que un accidente había impedido para siempre. Aparece en sus cuadros una gran vitalidad producto de un descubrir con ojo inocente el encanto de una cultura mágica aún regida por los ciclos de la naturaleza.

Los seis artistas presentes en esta muestra son exponentes de tres generaciones que por caminos diversos plasmaron el proceso dinámico del encuentro con la identidad.

Rita Eder

David Alfaro Siqueiros, organizing force of the Mexican muralist movement and author of its manifesto, sought to express movement through painting, a traditionally static art form. Social change is the ruling theme of Siqueiros' mural painting, hence his attraction to Futurism which he understood as the plastic expression of political dynamics.

His fine sensibility as a draftsman can be judged by his easel painting. He abandoned traditional imagery in favor of a brutal expressionism whose fundamental iconographic device became gigantic hands — a symbol of attachment to the land and of perpetual struggle.

Among the painters who in their day were called "los tres grandes," Rivera was the most concerned with the creation of a national art. His reverence for the beauty of everything Mexican was manifested even in his way of life: he and his wife Frida Kahlo lived surrounded by Prehispanic objects, popular crafts, and brightly colored plants — free from European taste.

In her painting Frida cultivates not only the image of her own sufferings, but the terrible nostalgia for a child she would never be able to have. Her paintings reveal the great vitality of an innocent eye discovering the charm of a magical culture still regulated by the cycles of nature.

These six artists are exponents of three generations that, in different ways, dealt with the dynamic process of the encounter with identity.

Rita Eder

Es tan firme la posición de Orozco en el arte de México, que se ha convertido en un medio para juzgar a sus contemporaneos. Las fuentes de su arte son claras: está arraigado en la caricatura y el arte popular mexicanos, y en la tradición formal del arte Europeo. Ha sido influenciado por El Greco, la escultura mexicana antigua, la "simetría dinámica" y el Cubismo. Tiene afinidades espirituales con Giotto, Michelangelo, Goya, Daumier y Picasso. Es tan intensa la preocupación de Orozco por el hombre, que reduce el paisaje a un mínimo y, si ocasionalmente lo llega a usar, lo vuelve antropomorfo. Aunque su obsesión por la humanidad es a menudo pesimista, nunca deja de afirmar las potencialidades del hombre. Aunque su relación con Goya es muy próxima, Orozco se lanzó a extremos de magnitud heroica. Difiriendo de la poética *joie de vivre* de Picasso, la trágica expresión de Orozco tiene una bravura auténtica, que no se había visto antes en América.

Orozco estaba bien preparado para la experiencia mural de los veintes. Se había quedado en México durante la revolución: primero, en su estudio de la calle de Illescas, pintando muchachas de escuela y prostitutas; después, trabajando en la Comunidad de Orizaba, que el Dr. Atl había establecido con un conjunto de autores y artistas. Despojaron las iglesias de la ciudad y publicaron "Vanguardia", un periódico en pro de Carranza; Atl predicaba las ideas revolucionarias desde un púlpito y Orozco hacía carteles y caricaturas violentamente anticlericales.

Los primeros frescos de Orozco (1923), están en la Escuela Nacional Preparatoria, un edificio barroco del siglo XVIII. Entre ellos se cuentan: La Huelga, La Trinchera, Cortés y la Malinche, Dios Padre, La Justicia al Servicio de la Corrupción, Las Soldaderas y La Despedida. Es patente su preocupación por la injusticia social. Por la experiencia adquirida en sus primeras acuarelas, caricaturas y algunas telas, Orozco había llegado a una pintura monumental, formalmente expresiva. Forma monumental producida por volúmenes pesados, simplificados y direccionales que ni violan ni hacen concesiones decorativas a la arquitectura; por su gran sobriedad de coloración: grises y cafés rosados, concentran la expresión formal portadora del tema. Este según él mismo escribió, era sólo un pretexto para realizar una obra de arte.

En 1930, Orozco pintó un fresco en el refectario del Pomona College, California, donde usó con efectividad el mito clásico de Prometeo. La influencia de El Greco es aquí muy clara: esta es una de las pocas influencias que Orozco encontraba justificables. En el mismo año pintó en la New School of Social Research, New York; allí usó el sistema de composición de "simetría dinámica" y, por primera vez, colores intensos, pero no decorativamente, sino como medios de expresión. El tema es su filosofía social: la esperanza para los pueblos del mundo radica en la abolición de las

So positive is Orozco's position in Mexican art that his painting becomes a means by which his contemporaries are judged. The sources of his art are clear: it is rooted in Mexican caricature and the popular arts, and in the formal tradition of European art. It has variously been influenced by El Greco, by ancient Mexican sculpture, by "dynamic symmetry," and by Cubism. It has spiritual affinities with the art of Giotto, Michelangelo, Goya, Daumier, Picasso. So intense is Orozco's preoccupation with man that landscape is reduced to a minimum and when it appears it is anthropomorphic. While his obsession with humanity is often pessimistic, he never ceases to affirm man's potentialities. However close his relationship to Goya, Orozco probed extremes on a more heroic scale. And unlike the essentially poetic *joie de vivre* of Picasso's art, the tragic expression of Orozco has an authentic bravura unseen before in American art.

Orozco was well-prepared for the mural experiment of the twenties. He had remained in Mexico during the years of the Revolution, first painting schoolgirls and prostitutes in his Calle de Illescas studio; and then working in the Orizaba community established by Dr. Atl with a group of authors and artists. They stripped the town's churches and set up the *Vanguardia,* a pro-Carranza newspaper; Atl preached the revolutionary ideals from a church pulpit; Orozco made posters and violently anticlerical cartoons.

Orozco's first frescoes (1923) are in the Escuela Nacional Preparatoria, an 18th century Baroque structure. Among them are *The Strike, The Trench, Cortés and Malinche, Father God, Justice in the Arm of Corruption,* the *Soldaderas,* and the *Farewell.* His preoccupation with social injustice is patent. On the basis of his earlier watercolors, caricatures, and a few easel paintings Orozco had arrived at a formally expressive, monumental painting. A monumental form produced by weighted, simplified, directional volumes that neither violate nor concede decoratively to the architecture; and by a sobriety of coloration: grays, rose browns, enforcing concentration on the formal expression that carries his idea. The theme, he later wrote, was for him a pretext for realizing the work of art.

In 1930 Orozco painted the refectory fresco at Pomona College, where he effectively employed the classical myth of Prometheus. The influence of El Greco is recognizable here, one of the few influences Orozco considered justifiable. The New School for Social Research frescoes were painted in the same year, employing the compositional system of "dynamic symmetry" and, for the first time, intense color — not used decoratively but as an expressive means. The theme is his social philosophy: hope for the people of the world lies in the abolition of interracial hostility. The Dartmouth frescoes follow in 1932 and two years

hostilidades entre las razas. Siguieron, en 1932, los frescos en Dartmouth, New Hampshire, y dos años más tarde el del Palacio de Bellas Artes, México, en el cual están representados en forma casi ofensiva el conflicto y autodestrucción humanos. De 1936 a 1940, pintó en Guadalajara: en la Universidad, el Palacio de Gobierno y el Hospicio Cabañas. En la Universidad contrastan las escenas de lucha social en los muros, con la luz y el orden en la cúpula que simboliza al Hombre Creador en cuatro aspectos: científico, obrero, filósofo y rebelde. Los frescos del Hospicio Cabañas, son los murales más extensos de Orozco y quizás constituyan su obra maestra: presentan la historia de México con su herencia indígena y española. Conceptos tales como: Lo Trágico, Lo Religioso, Lo Conquistado, Lo Desconocido, son tratados por él con seriedad; a Lo Barroco, lo caricaturiza. Paredes, bóvedas y pechinas conducen piramidalmente hacia los paneles monocromos del tambor y luego rematan en la ardiente figura simbólica de la cúpula: el hombre consumido por el fuego. El fuego es un símbolo recurrente en Orozco: la conciencia humana, la compulsión de su vida hacia la verdad aquí y ahora.

Después de Guadalajara, en 1940, Orozco pintó frescos alegóricos en la Biblioteca de Jiquilpan, contrastando la alegoría policroma del ábside con el diseño lineal monocromo de los muros laterales: aquí encontramos todo el poder de su línea. Directamente relacionados con su producción gráfica, la inspiración de estos murales se encuentra en la caricatura y en el arte popular. El bombardero, seis paneles que se pueden armar en varias combinaciones también data de 1940: fue pintado para el Museo de Arte Moderno de New York.

En 1941 regresó a Mexico a pintar los murales de la Suprema Corte de Justicia: son apóstrofes a la justicia humana, directos y a escala heroica. El fuego, otra vez, símbolo de potencia y claridad. De 1942 a 1944 trabajó en el Templo de Jesús, siendo aquí el tema central los Cuatro Jinetes del Apocalipsis. De 1947 a 48, en el Teatro al Aire Libre de la Escuela Normal de Maestros, el único edificio moderno en que pintó, ejecutó una composición abstracta, de formas arquitectónicas, usando incisiones taladradas y aplicaciones de elementos en hierro galvanizado, aluminio y latón sobre una base de concreto. El tema, como en Jiquilpan, es una alegoría nacional.

Toda su vida Orozco hizo pintura de caballete, dibujos y grabados. Algunas de estas obras eran estudios para murales, pero como nunca usó patrones a tamaño natural, el vigor de su intención y de su expresión nunca perdió fuerza al desarrollar su idea, pasándola del papel al muro. La obra gráfica de Orozco es totalmente análoga a la mural, ambas están imbuídas de la urgencia de su comunicación.

later the shockingly presented concept of human conflict and self-destruction in the Bellas Artes mural. From 1936 to 1940 he painted in Guadalajara: at the University, the Palacio de Gobierno, the Hospicio Cabañas. At the University he contrasts scenes of social strife on the walls below with light and order in the dome that symbolizes Creative Man in four aspects: scientist, worker, philosopher, and rebel. The Hospicio Cabañas frescoes are Orozco's most comprehensive murals and perhaps his greatest achievement. Here he treats Mexican history with its Spanish and its Indian heritage. Such concepts as *The Tragic, The Religious, The Conquered, The Unknown* are interpreted seriously; *The Baroque* he caricatures. Walls, vaults, lunettes lead pyramidally to the ring of monochrome panels below the dome, and then upward to the burning, symbolic figure — man being consumed by fire. Fire is a recurrent symbol for Orozco, a symbol of man's conscience, of the driving compulsion of his life toward truth here and now.

After Guadalajara, in 1946, Orozco painted the allegorical frescoes of the Biblioteca de Jiquilpan. He played the polychromed allegory of the apse against the linear monochrome panels of the side walls. All the power of his line is here. Directly related to his graphic art, the source of these walls is in caricature and the popular arts. The *Dive Bomber,* six panels which can be assembled in several combinations, painted for the Museum of Modern Art in New York, also dates to 1940.

In 1941 he returned to Mexico to paint the murals of the Suprema Corte de Justicia. They are a direct, heroically scaled indictment of human justice. Fire, again, is a symbol of bolting might and clarification. From 1942 to 1944 he worked in the Templo de Jesús, his central theme the Four Horsemen of the Apocalypse. In 1947-48, for the outdoor amphitheater of the Escuela Normal de Maestros, the only modern building in which he painted, he chose an abstract, architectonic form, using drilled incisions and insertions of galvanized iron, aluminum, and brass in the concrete support. The theme, as in Jiquilpan, is a national allegory.

Throughout his life Orozco made easel paintings, drawings, and prints. Some of these are studies for the murals but because he did not employ full scale cartoons, the vigor of his expression and intent never lost force as he developed his idea from studies to the final wall. Orozco's graphic work is completely of a piece with the murals; both are infused with the urgency of his communication.

Gerardo Murillo, desde su primera juventud cambió su nombre a Dr. Atl, porque detestaba violentamente la obra del pintor español, su homónimo, Murillo. El Dr. Atl fue un catalizador durante la década que precedió a la Revolución. Introdujo entre los estudiantes de la Academia – allí estaban Orozco y Rivera – la paleta impresionista, una revaluación de los frescos del Renacimiento y, según dice Orozco, "todas las audacias de la Escuela de París". También los hizo llegar a un grado de introspección que los condujo a rebelarse contra las imposiciones de la Academia. Atl se fue a vivir a las faldas del Popocatépetl y Orozco empezó a explorar los barrios bajos de México.

En 1910 se presentó la oportunidad para una acción concreta: las celebraciones del centenario de la Independencia. Se había anunciado una exposición de pintores españoles contemporáneos, así que el Dr. Atl pidió que los mexicanos expusieran también en un pabellón separado y consiguió 3.000 pesos para los pintores y escultores, que eran unos sesenta. Los artistas juzgaron sus obras entre ellos mismos, por medio de aplausos, gritos o silbidos. El resultado de todo esto fue un gran éxito inesperado. Acicateados otra vez por el entusiasmo del Dr. Atl, este grupo fundó el "Centro Artístico" para obtener encargos y pintar murales en los edificios públicos. La Revolución armada, que estalló al mes siguiente, retrasó sus planes doce años.

No sólo fue el Dr. Atl la fuerza directriz del arte mexicano durante las primeras dos décadas de nuestro siglo, sino que además es considerado como el paisajista épico de México. El paisaje volcánico era el que más le interesaba, y lo conocía doblemente: como pintor y como geólogo. Su medio más común era el "Atlcolor": unos crayones resinosos que él mismo había inventado y que podían utilizarse sobre cualquier clase de superficie. Llamaba a su estilo, que fue constante toda su vida: "Pintura Sígnica". Justino Fernández lo llama "el último pintor capaz de estremecerse frente al espectáculo de la naturaleza y comunicarnos esas emociones en formas tan equilibradas y sugestivas."

Christened Gerardo Murillo, Atl changed his name early in his youth because of his profound dislike for the work of the Spanish painter Murillo. In the formative decade preceding the Revolution, Dr. Atl acted catalytically. He introduced to Academy students — including Orozco and Rivera — the Impressionist palette, a sense of the value of Italian frescoes, and according to Orozco, "all the audacities of the school of Paris." He also caused them to undergo sufficient introspection to begin to revolt against the impositions of the Academy. Atl then went to live on the volcanic mountain Popocatepetl and Orozco began to explore the barrios of Mexico City.

In 1910 an opportunity for concrete action was provided by the centennial celebration of Mexican Independence. An exhibition of contemporary Spanish painting was featured and Dr. Atl requested Mexican participation in a separate pavilion, securing 3,000 pesos for the sixty or so painters and sculptors. The artists juried their own show by means of applause or hooting and whistling. The result was an unexpected success. Spurred again by Atl's enthusiasm the group founded the "Centro Artístico" in order to obtain commissions to paint public walls. The outbreak of the military Revolution the following month delayed their plans for twelve years.

Not only was Dr. Atl a driving force in Mexican art of the first two decades of this century, but he is also considered the epic landscape painter of Mexico. Volcanic landscape interested him most and he knew it from direct experience as an artist and as a geologist. Atlcolors — the resinous crayons he invented — were his usual medium, one that could be used on any surface. He calls his style, which remained almost constant throughout his life, *la pintura sígnica*. Justino Fernández calls him "the last painter capable of trembling before the spectacle of nature and of communicating this emotion in such balanced and expressive forms."

Diego Rivera , 1886—1957

Como estudiante, Diego Rivera adquirió una sólida educacíon académica; como joven pintor fue excelente cubista; su importancia como contribuyente primario al movimiento muralista del siglo XX, es innegable. Partiendo de su primer mural encáustico, en el Anfiteatro Bolívar, que no es ni revolucionario ni muy sorprendente, desarrolló un estilo al fresco que ha recibido varios nombres: modernismo académico, pintura revolucionaria y verdadero estilo Mexicano. En sus murales predominan los elementos anecdóticos, pintorescos e ilustrativos; sin embargo Rivera declaraba que todo el arte debe ser propaganda. Los murales en la Secretaría de Educación junto con los de la Capilla de Chapingo, son lo mejor de su obra. Su actitud política fue cambiando conforme avanzaba su trabajo en la Secretaría: empezó pintando a los trabajadores mexicanos entregados a su tareas y acabó pintándolos como peones oprimidos. Su obra adquirió un carácter didáctico que persistió en sus murales posteriores, que en impresionante cantidad ejecutó, tanto en México como en Estados Unidos. Desde muy al principio, el estilo de Rivera atrajo muchos seguidores en ambos países.

Diego Rivera produjo también un número prodigioso de pinturas de caballete, dibujos y litografías. El, junto con otros artistas como Atl, Covarrubias y Montenegro, estimularon el interés por el arte popular de México y su pasado prehispánico. Su paisaje "La Era", de 1904, tiene una calidad indígena que despúes abandonó en sus trabajos realizados en Europa de 1907 a 1921, aunque en su "Paisaje Zapatista" incluyó formas cubistas a las que dio un contenido especificamente mexicano. "La Molendera", de 1924, se relaciona con sus primeros murales y es un buen ejemplo de su uso de volúmenes simplificados y masivos obviamente tomados de formas escultóricas del México antiguo. El dibujo para el proyecto de los murales del Palacio Nacional, hecho en 1929, nos muestra la complejidad de sus frescos posteriores; el mural en sí, que le tomó dieciseis años desarrollar, es su más amplia representación del panorama de la historia de México tratada como tema universal.

Diego Rivera , 1886—1957

Firmly grounded in academic painting as a student and an accomplished Cubist as a young artist, Diego Rivera's importance as a prime contributor to the 20th century mural movement is undeniable. From beginnings neither revolutionary nor startling in the encaustic mural of the Anfiteatro Bolivar, he evolved a style of fresco painting which has been variously called academic modernism, revolutionary painting, or the true Mexican style. In his murals the anecdotal, the picturesque, and the illustrative elements dominate; yet Rivera declared that art must be equated with propaganda. The Secretaría de Educación murals remain, along with the Chapingo Chapel frescoes, Rivera's finest wall paintings. His political attitude undergoes a change as he works on the Secretaría cycle, and subjects shift from the Mexican laborer at work to the Mexican laborer as the oppressed peon. The work takes on a didactic character that will persist in all of his later murals, an impressive chain both in Mexico and the United States. From the outset Rivera's style has also attracted many followers in both countries.

Diego Rivera has also produced a prodigious number of easel paintings, as well as drawings and lithographs. He, with other artists like Atl, Covarrubias, and Montenegro, has stimulated interest in Mexico's popular art tradition as well as in its Prehispanic past. His early landscape *Threshing Yard* of 1904 has an indigenous quality that he leaves behind as he works in Europe from 1907 to 1921, although in his famous *Zapatista Landscape,* Cubist forms are given a specifically Mexican content. *La Molendera* of 1924 relates to the early murals and is a fine example of his use of simplified massive volumes clearly adopted from sculptural forms of ancient Mexico. The 1929 drawing for the Palacio Nacional mural indicates the complexity of his later wall paintings. The mural itself, which went through a sixteen-year development, is his most sweeping representation of the panorama of Mexican history as a universal theme.

La vida de Frida Kahlo y su arte fueron inseparables, eran una extensión recíproca una del otro. Un arte autobiográfico y una vida vista con agudeza a través del mundo visual-afectivo que la rodeaba. Un arte afectivo que penetraba las superficies de su cuerpo y su mente, y objetivaba su interior psíquico. Una vida entendida, en parte, a través de la forma que desarrollaba para expresarla y describirla.

Esta forma se derivaba del arte popular de México: un estilo ingenuo a escala irracional, con extrañas yuxtaposiciones de objetos y colores. El tema, siempre recurrente, es el dolor físico y la tristeza causada por sucesivos abortos. Cuando tenía quince años, viajando en un camión, éste chocó con un tranvía: ella salió del accidente con la columna y la pelvis fracturadas; una larga serie de operaciones fue inútil para calmar su dolor.

En la cama, cuando se estaba recuperando de su accidente, Frida aprendió a pintar por sí misma; más tarde le mostró sus primeras pinturas a Diego Rivera, a quien admiraba desde la niñez. Se desarrolló entre ellos una relacíon turbulenta que duró toda la vida: en 1929 se efectuó el primero de sus dos matrimonios.

En su pintura no sólo están registradas sus propias impresiones, sino también muchos aspectos de su relación con Diego Rivera. En su "Retrato de Frida y Diego" de 1931 (Museo de Arte de San Francisco), enfatiza su delicada pequeñez junto a la forma grande y pesada de Diego; en el mural "Tarde de Sábado en la Alameda" (Hotel del Prado, 1947-48), aparece alta, severa y elegante, con una mano sobre el hombro de Diego representado como un niño gordo; en su "Autorretrato" como tehuana (1943, Jacques Gelman) con sus formas crecientes floreciendro, vemos aparecer la cara másculina y adulta de Diego, en el centro de su frente, como un ornamento y como una presencia. "Las dos Fridas", 1939, es una de sus obras maestras; casi nunca pintó ella telas tan grandes como esta. Dos Fridas sentadas una junto a la otra, vistas contra un cielo animado de nubes, posan en una simetría bilateral que se refuerza por sus contornos y expresiones, tanto como por sus manos reunidas ritualmente y los orillas de sus ropas que se sobreponen. Una Frida, ligada con el pasado, lleva un vestido blanco pre-Revolucionario, y la otra, la Frida moderna, lleva un vestido indígena de vibrante colorido. Sus corazones están expuestos y una arteria que los une está siendo cortada con unas tijeras por la Frida tradicional: la sangre gotea sobre la falda blanca.

Frida Kahlo's life and art were inseparable, one an extension of the other. An autobiographical art and a life acutely viewed through the visual and affective world that surrounded her. A subjective art that penetrated the surfaces of her body and mind to objectify her physiologic and psychic interior. A life understood in part through the form she developed to express and describe it.

That form derived from Mexican popular art: a naive style of irrational scale and strange juxtapositions of objects and colors. The subject, the recurrent theme, is physical pain and the sadness of several abortions and miscarriages. At fifteen a bus and streetcar collision caused her a fractured spine and crushed pelvis; a long series of operations did not alleviate her pain. The children she could not bear as a result became an obsession.

Frida Kahlo taught herself to paint from her bed as she recovered from her accident. Later she showed her first paintings to Diego Rivera whom she had admired as a child. A relationship developed that remained turbulent throughout her life, but in 1929 one of their two marriages took place.

Not only her own responses are recorded in her paintings, but also the many aspects of her relationship with Diego Rivera. In the 1931 *Portrait of Frida and Diego* (San Francisco Museum of Art) she emphasizes her smallness and delicacy beside his large, heavy form; in the *Sunday Afternoon in the Alameda* mural (Del Prado Hotel, 1947-48) she is tall, severe, and elegant, a hand on his shoulder, and he much shorter, a fat boy; in her 1943 *Self Portrait* (Jacques Gelman) as a Tehuana with its growing, florescent forms, the adult male Diego's face appears as a large ornament as well as a presence in the center of her forehead. Considered one of her masterpieces, *The Two Fridas* of 1939 is for Kahlo an unusually large canvas. Two Fridas, seated side by side against a sky animated with clouds, are posed in a bisymmetry reinforced by their contours and expressions, as well as by their ritually joined hands and the overlapping hems of their garments. One Frida, linked to the past, wears a pre-Revolutionary white gown; the other, a modern Frida, wears a vibrantly colored indigenous dress. The heart of each is exposed; and, snipped by the scissors held by the traditional Frida, an artery entwining the two figures drops blood on the white skirt.

David Alfaro Siqueiros, 1896—1974

Siqueiros, como Rivera, insistía en que el arte tenía que ser socialmente útil, pero, a diferencia de éste, su idealismo lo llevaba más a menudo a la política que al arte. Durante toda su vida se encaró al arte en forma incansablemente experimental. De sus primeros experimentos, en la Escuela Nacional Preparatoria, nos queda un fresco monumental, inacabado: "El entierro de un trabajador." La monumentalidad inherente en Siqueiros aparece aún en sus más pequeñas obras de caballete.

Desde un principio Siqueiros fue un inconforme y no tuvo educación académica, como la tuvieron Rivera y Orozco. Durante la huelga antiacadémica de los estudiantes (1911-13), estimulada por el Dr. Atl, Siqueiros y muchos otros fueron encarcelados. En 1922 escribió el famoso manifiesto del Sindicato de Obreros Pintores y Escultores, que "repudiaba el llamado arte de caballete y todo otro arte que provenga de círculos ultraintelectuales, porque es esencialmente aristocrático." Después vino un esfuerzo, poco duradero, hacia una pintura mural colectiva; posteriormente Orozco y Siqueiros fueron expulsados, luego contribuyeron por algun tiempo al periódico militante "El Machete". A continuación Siqueiros se entregó a la política activa por cuatro años: organizó a los mineros, dirijió huelgas y asistió a congresos nacionales e internacionales; periodicamente era encarcelado. Más tarde, en 1931, menos de diez años después del manifiesto, produjo sesenta y seis obras de caballete, entre ellas la notable "Madre Proletaria". En Los Angeles, en 1932, pintó en la Escuela de Arte Chouinard, junto con otros artistas, el mural "Mitin en la Calle", con brocha de aire sobre cemento. Su siguiente proyecto fue "América Tropical", para el "Plaza Art Center". Ambas obras casi han desaparecido por el deterioro. Durante un viaje obligado a Argentina, en 1933, siguió experimentando con materiales y con la perspectiva; siguió este trabajo en Nueva York, donde fundó el "Taller Experimental."

Siqueiros peleó en España durante la Guerra Civil. Cuando regresó a México en 1939, colaboró con otros tres pintores en un mural para el Sindicato de Electricistas. Obligado a salir del pais antes de terminarlo, se desterró a Chile. Allí realizó uno de sus más importantes murales, en Chillán en 1941: "Muerte al Invasor"; en esta obra se aunaron con gran efectividad la intención, la fuerza de la imágenes y los medios técnicos. Desde ese momento hasta su muerte siguió produciendo pintura de caballete, grabados, dibujos y murales públicos en los que a menudo la experimentación técnica domina al contenido. Son notables entre estas obras de los cuarentas: un autorretrato, "El Coronelazo", el retrato de José Clemente Orozco y un "retrato" del hombre moderno llamado "Nuestra Imagen Actual".

Jeanne D'Andrea

David Alfaro Siqueiros, 1896—1974

Siqueiros, like Rivera, insisted that art must be socially useful, but unlike Rivera, his idealism led him more often to politics than to art. Throughout his life his approach to art was one of restless experimentation. His early experiments in the National Preparatory School left, notably, the monumental, unfinished fresco "Burial of a Worker." And this monumentality is inherent even in his smallest easel paintings.

Nonconformist from the start, Siqueiros never experienced the academic training of Rivera or Orozco. During the anti-academic student strike of 1911-13 stimulated by Dr. Atl, Siqueiros and many others were jailed. In 1922, he authored the famous Manifesto of the Syndicate of Technical Workers, Painters, and Sculptors that "repudiated so-called easel art and all such art that springs from ultraintellectual circles, for it is essentially aristocratic." After the short-lived collective mural painting effort that followed, and the subsequent expulsion of Orozco and Siqueiros, both artists for a time contributed illustrations to the militant "El Machete." Siqueiros then dedicated himself to four years of political activity: organizing miners, directing strikers, and attending national and international congresses; periodically he was jailed. Then, in 1931, less than ten years after the Manifesto, he produced sixty-six easel paintings, including the notable "Proletarian Mother." In Los Angeles in 1932, at the Chouinard School of Art he executed, with a group of other artists, the mural "Street Meeting" in airbrush on cement. "Tropical America" was his next mural project, for the Plaza Art Center. Both have virtually disappeared. During an obligatory trip to Argentina in 1933 he experimented further with materials and perspective; later, in New York, he founded the Experimental Workshop.

During the Civil War Siqueiros fought in Spain. On his return to Mexico in 1939, he collaborated with three other painters on a mural for the Electricians Union. Forced to leave the country before its completion, he exiled himself in Chile. There, in Chillán, one of his most important mural works, "Death to the Invader," was accomplished in 1941. In it the intent, the force of his images, and the technical means came together with maximum effectiveness. From that time until his death he continued to produce both public murals, in which technical and formal experimentation often dominate content, drawings, paints, and easel paintings. His portraits, perhaps the best in Mexico, are outstanding examples of his pictorial imagination. Notable among these, all from the forties, are the "Self Portrait" (El Coronelazo), the "Portrait of José Clemente Orozco," and the truly original "portrait," "Image of Modern Man."

Jeanne D'Andrea

José Clemente Orozco, 1883—1949

155
The Lecture 1913

Drawing, watercolor and pencil on paper
13-3/16 x 12-5/8 in.
M.C.G. (I.N.B.A.)

155
La Conferencia, 1913

Acuarela y lápiz sobre papel
33.5 x 32 cm.
M.C.G. (I.N.B.A.)

156
The Despoiling, 1913-17

Drawing, black ink with washes on paper
12-3/8 x 19-1/8 in.
M.C.G. (I.N.B.A.)

156
El Despojo, 1913-17

Dibujo, tinta negra y aguada sobre papel
31.5 x 48.5 cm.
M.C.G. (I.N.B.A.)

157
La Cucaracha, 1915-17

Drawing, pen and black ink with washes
on paper
12-3/16 x 18-7/8 in.
M.C.G. (I.N.B.A.)

157
La Cucaracha, 1915-17

Dibujo, tinta negra y aguada sobre papel
31 x 48 cm.
M.C.G. (I.N.B.A.)

158
Combat, 1920

Oil on canvas
26-3/16 x 34-11/16 in.
M.C.G. (I.N.B.A.)

158
Combate, 1920

Oleo sobre tela
66.5 x 88 cm.
M.C.G. (I.N.B.A.)

159
The Dead Man, 1922

Oil on canvas
21-11/16 x 23-5/8 in.
M.C.G. (I.N.B.A.)

159
El Muerto, 1922

Oleo sobre tela
55 x 60 cm.
M.C.G. (I.N.B.A.)

160
The Hanged Man, 1925

Drawing, pen and brush with black ink
and washes
16-5/16 x 12-3/16 in.
M.C.G. (I.N.B.A.)

160
El Ahorcado, 1925

Dibujo a pluma y pincel con tinta negra y
aguada
41.5 x 31 cm.
M.C.G. (I.N.B.A.)

161
Requiem, 1928

Lithograph
11-13/16 x 15-15/16 in.
M.C.G. (I.N.B.A.)

161
El Requiem, 1928

Litografía
30 x 40.5 cm.
M.C.G. (I.N.B.A.)

162
The Rear Guard, 1928

Lithograph
13-3/4 x 18-1/2 in.
M.C.G. (I.N.B.A.)

162
La Retaguardia, 1928

Litografía
35 x 47 cm.
M.C.G. (I.N.B.A.)

163
Women Soldiers, 1928

Lithograph
11-1/4 x 17-15/16 in.
M.C.G. (I.N.B.A.)

163
Soldaderas, 1928

Litografía
28.5 x 45.5 cm.
M.C.G. (I.N.B.A.)

164
Prometheus, 1930

Tempera and oil on masonite
24 x 31-1/2 in.
I.N.B.A.

164
Prometeo, 1930

Temple y oleo sobre masonite
61 x 80 cm.
I.N.B.A.

165
Zapatistas, 1935

Lithograph
13-3/4 x 16-9/16 in.
M.C.G. (I.N.B.A.)

165
Zapatistas, 1935

Litografía
35 x 42 cm.
M.C.G. (I.N.B.A.)

166
Three Women, 1945 ("The Truth" series)

Drawing, pencil with pen and black ink on
paper
18-1/8 x 12-3/16 in.
M.C.G. (I.N.B.A.)

166
Tres Mujeres, 1945 (Serie La Verdad)

Dibujo, pluma y tinta sobre papel
46 x 31 cm.
M.C.G. (I.N.B.A.)

167
Madness, 1945 ("The Truth" series)

Drawing, pencil with pen and black ink on
paper
13-3/4 x 14-15/16 in.
M.C.G. (I.N.B.A.)

167
Locura, 1945 (Serie La Verdad)

Dibujo, pluma y tinta sobre papel
35 x 38 cm.
M.C.G. (I.N.B.A.)

168
Self Portrait, 1946

Gouache and oil on canvas
22-1/16 x 18-1/8 in.
M.A.M. (I.N.B.A.)

168
Autorretrato, 1946

Gouache y oleo sobre tela
56 x 46 cm.
M.A.M. (I.N.B.A.)

169
The Tyrant, 1947

Mixed media on canvas
36-1/4 x 25-13/16 in.
M.A.M. (I.N.B.A.)

169
El Tirano, 1947

Técnica mixta sobre tela
92 x 65.5 cm.
M.A.M. (I.N.B.A.)

170
Cult of the Huichilobos, 1949

Pyroxilin and tempera on masonite
39 x 48-1/16 in.
M.A.M. (I.N.B.A.)

170
Culto a Huichilobos, 1949

Piroxilina y temple sobre masonite
99 x 122 cm.
M.A.M. (I.N.B.A.)

Dr. Atl, 1885-1964

171
Clouds over Mexico, 1933

Atlcolor on cement
49 x 68-7/8 in.
M.A.M. (I.N.B.A.)

171
Nubes sobre México, 1933

Atlcolor sobre cemento
124.5 x 175 cm.
M.A.M. (I.N.B.A.)

Diego Rivera, 1886-1957

172
Threshing Yard, 1904

Oil on canvas
39-3/8 x 56-15/16 in.
M.D.R. (I.N.B.A.)

172
La Era, 1904

Oleo sobre tela
100 x 144.6 cm.
M.D.R. (I.N.B.A.)

173
Girl from Brittany, 1908

Oil on canvas
39-3/8 x 31-1/2 in.
M.A.M. (I.N.B.A.)

173
Muchacha Bretona, 1908

Oleo sobre tela
100 x 80 cm.
M.A.M. (I.N.B.A.)

174
House over the Bridge, 1912

Oil on canvas
57-7/8 x 47-1/4 in.
M.A.M. (I.N.B.A.)

174
Casa sobre el Puente, 1912

Oleo sobre tela
147 x 120 cm.
M.A.M. (I.N.B.A.)

175
Zapatista Landscape, 1915
Woman at the Well (reverse side)

Oil on canvas
56-11/16 x 48-7/16 in.
M.D.R. (I.N.B.A.)

175
Paisaje Zapatista, 1915
Mujer del Pozo (reverso)

Oleo sobre tela
144 x 123 cm.
M.D.R. (I.N.B.A.)

176
Portrait of a Poet, 1916

Oil on canvas
50-13/16 x 37-13/16 in.
M.C.G. (I.N.B.A.)

176
Retrato de un Poeta, 1916

Oleo sobre tela
129 x 96 cm.
M.C.G. (I.N.B.A.)

177
The Miller, 1924

Encaustic on canvas
35-7/16 x 46-1/16 in.
M.A.M. (I.N.B.A.)

177
La Molendera, 1924

Encaustica sobre tela
90 x 117 cm.
M.A.M. (I.N.B.A.)

178
Project for the Staircase of the National Palace, 1929

Drawing, pencil on paper
28-3/4 x 75-3/16 in.
I.N.B.A.

178
Proyecto para la Escalera del Palacio Nacional, 1929

Dibujo a lápiz sobre papel
73 x 191 cm.
I.N.B.A.

179
Rural Teacher, 1932

Lithograph
12-3/8 x 16-5/16 in.
I.N.B.A.

179
Maestra Rural, 1932

Litografía
31.5 x 41.5 cm.
I.N.B.A.

180
Rural Teacher, 1932
(not in exhibition)

Ink drawing on paper
17-3/8 x 12-5/8 in.

180
Maestro Rural, 1932
(no se presenta en la exposición)

Dibujo a tinta sobre papel
44 x 32 cm.

181
Emiliano Zapata, 1932

Lithograph
16-1/8 x 13 in.
I.N.B.A.

181
Emiliano Zapata, 1932

Litografía
41 x 33 cm.
I.N.B.A.

182
Portrait of Lupe Marín, 1938

Oil on canvas
67-5/16 x 47-5/8 in.
M.A.M. (I.N.B.A.)

182
Retrato de Lupe Marín, 1938

Oleo sobre tela
171 x 121 cm.
M.A.M. (I.N.B.A.)

183
Breaking the Ice, 1956

Oil on canvas
35-7/16 x 45-11/16 in.
M.A.M. (I.N.B.A.)

183
Rompiendo el Hielo, 1956

Oleo sobre tela
90 x 116 cm.
M.A.M. (I.N.B.A.)

Frida Kahlo, 1910-1954

184
The Two Fridas, 1939

Oil on canvas
68-1/8 x 68-1/8 in.
M.A.M. (I.N.B.A.)

184
Las Dos Fridas, 1939

Oleo sobre tela
173 x 173 cm.
M.A.M. (I.N.B.A.)

David Alfaro Siqueiros, 1896-1974

185
Proletarian Mother, 1930

Oil on jute
75-5/8 x 51-9/16 in.
M.A.M. (I.N.B.A.)

185
Madre Proletaria, 1930

Oleo sobre yute
192 x 131 cm.
M.A.M. (I.N.B.A.)

186
Self Portrait (El Coronelazo), 1945

Pyroxilin on masonite
35-3/16 x 47-5/8 in.

186
Autorretrato (El Coronelazo), 1945

Piroxilina sobre masonite
91 x 121 cm.
M.A.M. (I.N.B.A.)

187
Three Gourds, 1946

Pyroxilin on masonite
47-5/8 x 35-13/16 in.
M.C.G. (I.N.B.A.)

187
Tres Calabazas, 1946

Piroxilina sobre masonite
121 x 91 cm.
M.C.G. (I.N.B.A.)

188
Image of Modern Man, 1947

Pyroxilin on masonite
87-13/16 x 61-7/16 in.
M.A.M. (I.N.B.A.)

188
Nuestra Imagen Actual, 1947

Piroxilina sobre masonite
223 x 156 cm.
M.A.M. (I.N.B.A.)

189
The Devil in the Church, 1947

Pyroxilin on celotex
86-1/4 x 61-7/16 in.
M.A.M. (I.N.B.A.)

189
El Diablo en la Iglesia, 1947

Piroxilina sobre celotex
219 x 156 cm.
M.A.M. (I.N.B.A.)

190
Portrait of José Clemente Orozco, 1947

Pyroxilin on masonite
48-1/16 x 39-3/8
M.C.G. (I.N.B.A.)

190
Retrato de José Clemente Orozco, 1947

Piroxilina sobre masonite
122 x 100 cm.
M.C.G. (I.N.B.A.)

191
The Centaurs, 1950

Study, chalk and ink on paper
60-5/8 x 47-5/8 in.
M.C.G. (I.N.B.A.)

191
Los Centauros, 1950

Croquis, crayón y tinta sobre papel
154 x 121 cm.
M.C.G. (I.N.B.A.)

192
First Thematic Note for the Mural in Chapultepec, 1950

Study, pyroxilin on masonite
29-1/8 x 65-3/4 in.
M.C.G. (I.N.B.A.)

192
Primera Nota Temática para el Mural de Chapultepec, 1950

Croquis, piroxilina sobre masonite
74 x 167 cm.

193
Death to the Invader, 1956

Lithograph
29-1/2 x 23-1/4 in.
I.N.B.A.

193
Muerte al Invasor, 1956

Litografía
75 x 59 cm.
I.N.B.A.

194
Zapata. Study for the Mural in Chapultepec, 1966

Pyroxilin on masonite
47-5/8 x 35-7/16 in.
M.C.G. (I.N.B.A.)

194
Zapata Estudio para el Mural de Chapultepec, 1966

Croquis, piroxilina sobre masonite
121 x 90 cm.
M.C.G. (I.N.B.A.)

155
The Lecture   *José Clemente Orozco*
La Conferencia

157
La Cucaracha   *José Clemente Orozco*

156
The Despoiling   *José Clemente Orozco*
El Despojo

159
The Dead Man   *José Clemente Orozco*
El Muerto

160
The Hanged Man   *José Clemente Orozco*
El Ahorcado

161
Requiem   *José Clemente Orozco*
El Requiem

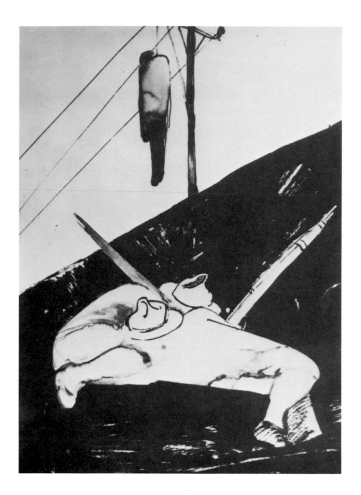

162
The Rear Guard   *José Clemente Orozco*
La Retaguardia

163
Women Soldiers   *José Clemente Orozco*
Soldaderas

165
Zapatistas *José Clemente Orozco*

166
Three Women *José Clemente Orozco*
Tres Mujeres

167
Madness *José Clemente Orozco*
Locura

171
Clouds over Mexico   *Dr. Atl*
Nubes sobre Mexico

172
Threshing Yard   *Diego Rivera*
La Era

173
Girl from Brittany   *Diego Rivera*
Muchacha Bretona

174
House over the Bridge   *Diego Rivera*
Casa sobre el Puente

175
Zapatista Landscape   *Diego Rivera*
Paisaje Zapatista

175
Reverse: Woman at the Well
Reverso: Mujer del Pozo

176
Portrait of a Poet   *Diego Rivera*
Retrato de un Poeta

177
The Miller   *Diego Rivera*
La Molendera

178
Project for the Staircase of the National Palace *Diego Rivera*
Proyecto para la Escalera de Palacio Nacional

179
Rural Teacher *Diego Rivera*
Maestra Rural

180
Rural Teacher   *Diego Rivera*
Maestro Rural
(not in exhibition)

181
Emiliano Zapata   *Diego Rivera*

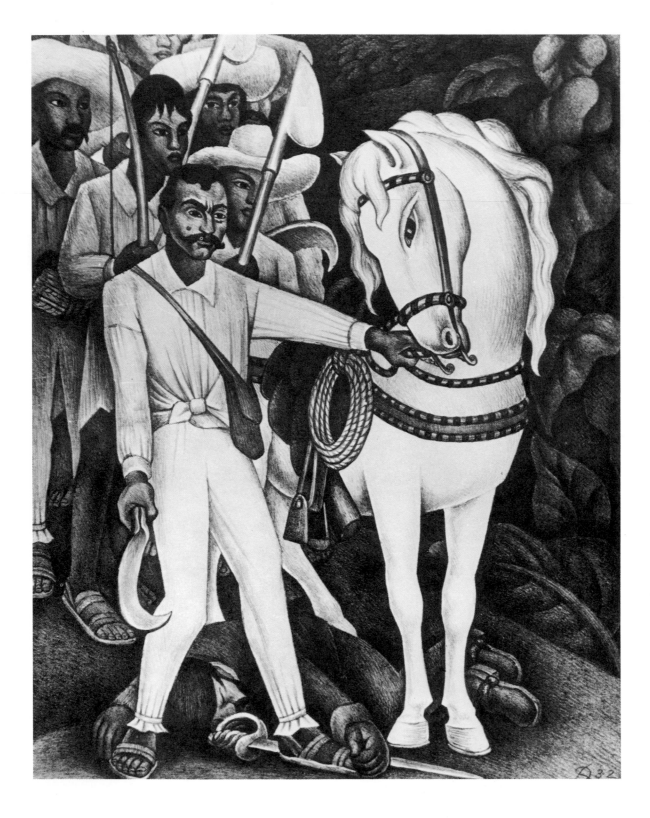

182
Portrait of Lupe Marín   *Diego Rivera*
Retrato de Lupe Marín

184
The Two Fridas   *Frida Kahlo*
Las Dos Fridas

185
Proletarian Mother   *David Alfaro Siqueiros*
Madre Proletaria

186
Self Portrait (El Coronelazo)   *David Alfaro Siqueiros*
Autorretrato

187
Three Gourds   *David Alfaro Siqueiros*
Tres Calabazas

188
Image of Modern Man   *David Alfaro Siqueiros*
Nuestra Imagen Actual

189
The Devil in the Church   *David Alfaro Siqueiros*
El Diablo en la Iglesia

190
Portrait of José Clemente Orozco   *David Alfaro Siqueiros*
Retrato de José Clemente Orozco

191
The Centaurs   *David Alfaro Siqueiros*
Los Centauros

192
First Thematic Note for the Mural in
Chapultepec   *David Alfaro Siqueiros*
Primera Nota Temática para el Mural de
Chapultepec

194
Zapata: Study for the Mural in
Chapultepec   *David Alfaro Siqueiros*
Zapata: Estudio para el Mural de
Chapultepec

Bibliografía Selecta

Epoca Prehispánica

Bernal, Ignacio. *Museo Nacional de Antropología de México. Arqueología.* M. Aguilar Editor, S. A. México, 1967. (Librofilm Aguilar.)

Caso, Alfonso. *El Pueblo del Sol.* Fondo de Cultura Económica. México. 1953.

Covarrubias, Miguel. *Arte Indígena de México y Centro América.* U.N.A.M. México.

Flores Guerrero, Raúl. *Epoca Prehispánica. Historia General del Arte Mexicano.* Editorial Hermes, S. A. México. 1962.

Garibay K., Angel María y otros. *Flor y Canto del Arte Prehispánico de México.* Fondo Editorial de la Plástica Mexicana. México, 1964.

Krickeberg, Walter. *Las Antiguas Culturas Mexicanas.* Fondo de Cultura Económica. México y Buenos Aires, 1961.

Marquina, Ignacio. *Arquitectura Prehispánica.* Instituto Nacional de Antropología e Historia. México, 1951.

Piña Chan, Román. *Una Visión del México Prehispánico.* Instituto de Investigaciones Históricas, U.N.A.M. México, 1967.

Ruz Lhuillier, Alberto. *La Civilización de los Antiguos Mayas.* Instituto Nacional de Antropología e Historia. México, 1963.

Varios. *Esplendor del México Antiguo.* 2 vol. Centro de Investigaciones Antropológicas de México. México, 1959.

Epoca Virreinal

Díaz del Castillo, Bernal. *Historia Verdadera de la Conquista de la Nueva España.* Bassols Hnos. Editores. México, 1891.

Rojas, Pedro. *Historia General del Arte Mexicano.* Epoca Colonial. Editorial Hermes, S. A. México y Buenos Aires, 1963.

Sahagún, Fray Bernardino de. *Historia General de las Cosas de Nueva España.* Ediciones de Nueva España. México, 1946.

Toussaint, Manuel. *Arte Colonial en México.* Instituto de Investigaciones Estéticas. México, 1948.

Siglos XIX y XX

Calderón de la Barca, Madame. *La vida en México durante una residencia de dos años en ese país.* 2 vols. Trad., pról. y notas de Felipe Teixidor. Porrúa, S. A. México, 1959.

Férnandez, Justino. *El Arte del Siglo XIX en México.* Instituto de Investigaciones Estéticas. U.N.A.M. México 1967.

Artes de México. 1953 y años siguientes

Cardoza y Aragón, Luis. *Pintura Mexicana Contemporánea.* Imprenta Universitaria. México, 1953.

México en el Arte. Instituto Nacional de Bellas Artes. México, 1948-1952.

Orozco, José Clemente. *Autobiografía.* Ediciones Occidente. México, 1945.

Ramos, Samuel. *Diego Rivera.* Colección Arte 4. Dirección General de Publicaciones, U.N.A.M. México, 1958.

Siqueiros, David Alfaro. *No hay más ruta que la nuestra.* México, 1945.

Referencias Generales

Fernández, Justino. *Arte mexicano de los orígenes a nuestros días.* 2d. ed. Editorial Porrúa. Mexico, 1961.

Historia General del Arte Mexicano. Pedro Rojas, director de la obra. 3 vol. Editorial Hermes. México, 1963.

Selected Bibliography

Prehispanic

Caso, Alfonso. *The Aztecs: People of the Sun.* Illustrations by M. Covarrubias. The Civilization of the American Indian, no. 50. University of Oklahoma Press. Norman, n.d.

Cervantes, María Antonieta. *National Anthropological Museum. Mexico.* Ed. Americanas Escudo de Oro. Barcelona, 1976.

Coe, Michael D. *The Maya.* Ancient Peoples and Places. General Editor, Glyn Daniel. Ediciones Lara. Mexico City, 1967.

Covarrubias, Miguel. *Indian Art of Mexico and Central America.* Alfred A. Knopf. New York, 1957.

Keleman, Pál. *Medieval American Art: Masterpieces of the New World Before Columbus.* Macmillan Co. New York, 1956.

Kubler, George. *The Art and Architecture of Ancient America: The Mexican, Maya, and Andean Peoples.* Penguin Books. Baltimore, 1962.

Lothrop, Samuel K. *Treasures of Ancient America.* Skira. Geneva, 1972.

Spinden, Herbert Joseph. *Maya Art and Civilization.* Falcon's Wing Press. Indian Hills, Colo., 1957.

Thompson, John Eric. *The Rise and Fall of Maya Civilization.* 2nd ed., enlarged. Civilization of the American Indian, no. 39. University of Oklahoma Press. Norman, 1966.

Var. *National Museum of Anthropology, Mexico City.* Newsweek. New York, 1970.

Winning, Hasso von. *Precolumbian Art of Mexico and Central America.* Harry N. Abrams, Inc. New York, 1968.

Viceregal

Kelemen, Pál. *Baroque and Rococo in Latin America.* Macmillan Co. New York, 1951.

Kubler, George. *Mexican Architecture of the Sixteenth Century.* 2 vols. Yale University Press, 1948.

Toussaint, Manuel. *Colonial Art in Mexico.* Edited by G. W. Weisman. University of Texas. Austin, 1967.

19th and 20th Century

Calderón de la Barca, Frances Erskine. *Life in Mexico.* eds. Howard T. Fisher and Marion Hall Fisher. Doubleday. New York, 1966.

Myers, Bernard S. *Mexican Painting in Our Time.* Oxford University Press. New York, 1956.

Orozco, José Clemente. *An Autobiography.* University of Texas Press. Austin, 1962.

Rivera, Diego. *My Art, My Life: An Autobiography.* Citadel Press. New York, 1960.

Schmeckebier, Laurence E. *Modern Mexican Art.* University of Minnesota Press, 1939.

General References

Edwards, Emily. *Painted Walls of Mexico.* University of Texas Press. Austin and London, 1966.

Fernández, Justino. *A Guide to Mexican Art.* (trans. by Joshua C. Taylor from *Arte mexicano de los orígenes a nuestros días,* 2d, ed. Editorial Porrúa. Mexico City, 1961.) University of Chicago Press, 1969.